Mini BLED
Conjugaison en poche

Édition assurée par
Daniel BERLION
Inspecteur d'académie

Conception graphique
Couverture : Olivier CALDERON
Intérieur : Audrey IZERN

Composition et mise en page : MÉDIAMAX

ISBN 978-2-01-169578-9

SOMMAIRE

AVANT-PROPOS

Avec **Conjugaison en poche**, nous vous proposons un outil complet et pratique, qui vous donne dans toute situation d'expression écrite ou orale, les réponses à vos questions sur la façon de conjuguer et d'accorder les verbes.

■ **Les fiches 1 à 18** (pages 6 à 19) rappellent les règles et les principes de base de la grammaire du verbe et de la conjugaison. Vous pouvez les lire en introduction aux tableaux pour repérer les principales difficultés de la conjugaison et éviter ses pièges, ou vous y reporter ponctuellement pour trouver une aide sur une question précise.

■ **Les 83 tableaux de conjugaison types** (pages 22 à 104) constituent les modèles auxquels peuvent être rattachés tous les verbes du français, chaque modèle présentant les mêmes variations du radical et les mêmes terminaisons. Le tableau donne la conjugaison complète du verbe à tous les temps et tous les modes, avec un repérage couleur des difficultés particulières.

■ **L'index de plus de 6 000 verbes** (pages 105 à 160) vous indique le numéro du modèle de conjugaison type de chaque verbe.

Nous espérons que cet ouvrage vous permettra de progresser, de gagner en confiance et d'améliorer, au quotidien, votre expression écrite ou orale.

Daniel BERLION

1. LE VERBE

Le verbe est **l'élément essentiel de la phrase** : il indique une action, un état, une intention.

L'INFINITIF

Lorsqu'ils ne sont pas conjugués, les verbes se présentent sous une forme neutre : **l'infinitif**.

parler – jouer – finir – faire – croire – pouvoir – prendre

LE RADICAL ET LA TERMINAISON D'UN VERBE

• Un verbe se compose d'un **radical** et d'une **terminaison** (ou désinence).

cherch-er (radical : cherch ; terminaison : er)
nous cherch-ons (radical : cherch ; terminaison : ons)
réfléch-ir (radical : réfléch ; terminaison : ir)
tu réfléch-issais (radical : réfléch ; terminaison : issais)

• Pour certains verbes, le radical reste **le même** pour toutes les formes verbales.

je ris – nous riions – ils riront – il faut qu'elle rie – ris – j'ai ri

• Pour d'autres verbes, le radical peut **varier** d'une forme verbale à l'autre.

je vais – nous allons – elle ira – il faut que tu ailles

LES TROIS GROUPES DE VERBES

• **Le 1er groupe** : tous les verbes (sauf *aller*) dont l'infinitif se termine par *-er*.

chercher – trouver – parler – appeler...

• **Le 2e groupe** : les verbes dont l'infinitif se termine par *-ir*, et qui intercalent l'élément *-ss-* entre le radical et la terminaison, pour certaines formes conjuguées.

réunir (réunissant – nous réunissons) – agir (agissant – elle agissait)...

• **Le 3e groupe** : tous les autres verbes.

perdre – battre – apparaître – revoir – courir (on ne dit pas « nous courissons »)...

L'ACCORD DU VERBE

Le verbe s'accorde en personne et en nombre avec son sujet qu'on trouve en posant la question « Qui est-ce qui ? » (ou « Qu'est-ce qui ? ») devant le verbe.

Les spectateurs quittent la salle.

Qui est-ce qui quitte ? les spectateurs → 3[e] pers. du pluriel

Dans le groupe nominal sujet, il faut toujours chercher **le nom** qui commande l'accord.

Les spectateurs du premier rang quittent la salle.

Qui est-ce qui quitte ? les spectateurs (du premier rang) → 3e pers. du pluriel

2. LES FORMES VERBALES

Les formes verbales varient selon les **personnes**, les **modes**, les **temps**.

LES PERSONNES

• Il y a trois personnes du singulier et trois personnes du pluriel.

je – tu – il / elle / on nous – vous – ils / elles

• La terminaison de la deuxième personne du singulier, pour tous les verbes, pour tous les temps, est « *s* ».

Exceptions :

– Les verbes *vouloir, pouvoir, valoir* au présent de l'indicatif.

vouloir : tu veux pouvoir : tu peux valoir : tu vaux

– Le présent de l'impératif pour tous les verbes du 1er groupe et quelques verbes du 3e groupe (*ouvrir, offrir, souffrir, cueillir*).

Marche plus vite. Respire lentement. Ouvre la porte. Offre-lui des fleurs.

LES MODES

• **L'indicatif** : action dans sa réalité. (voir pp. 8 à 10)

Il lit ce roman. Il lisait ce roman.

• **L'impératif** : action sous la forme d'un ordre, d'un conseil, d'une recommandation. (voir p. 16)

Lis ce roman ! Lisez ce roman !

• **Le subjonctif** : action envisagée ou hypothétique. (voir p. 15)

Il faut qu'il lise ce roman.

• **Le conditionnel** : action éventuelle qui dépend d'une condition. (voir p. 14)

S'il en avait le temps, il lirait ce roman.

LES TEMPS

• **Les temps** permettent de se situer sur un axe temporel : **passé, présent, futur**.

hier → je marchais aujourd'hui → je marche demain → je marcherai

• **Les temps simples** : formés sans auxiliaire.

je cherche – nous cherchions – elles chercheront

• **Les temps composés** : formés à l'aide d'un auxiliaire (*avoir* ou *être*) qui prend les marques du mode et du temps, suivi du participe passé du verbe conjugué.

j'ai cherché – nous avions cherché – ils auront cherché

• **La majorité des verbes** se conjuguent avec l'auxiliaire *avoir*.

• Se conjuguent avec l'auxiliaire *être* :

– **Quelques verbes intransitifs.**

aller, arriver, descendre, naître, mourir, entrer, monter, tomber, retourner, rester, venir, sortir, partir...

– **Les verbes pronominaux.**

Il s'est mordu la langue. L'ouvrier s'était protégé avec un casque.

3. LE PRÉSENT DE L'INDICATIF

FORMATION

Les formes du présent varient selon le groupe auquel appartient le verbe.

• **1er groupe** : infinitif en *-er*. (→ Tableaux 3 à 19)
Radical du verbe + *-e, -es, -e, -ons, -ez, -ent.*

je joue – tu joues – il joue – nous jouons – vous jouez – elles jouent

• **2e groupe** : infinitif en *-ir*. (→ Tableaux 20 et 21)
Radical du verbe + *-s, -s, -t, -ons, -ez, -ent.*
Pour les personnes du pluriel, on intercale l'élément « *-ss-* » entre le radical et la terminaison.

j'agis – tu agis – il agit – nous agissons – vous agissez – elles agissent

• **3e groupe** : infinitif en *-ir, -oir, -re.*

– Radical du verbe + *-s, -s, -t ,-ons, -ez, -ent.* (→ Tableaux 23, 25 à 28, 32 à 43, 51, 57, 60, 63, 67, 69, 70 à 82)

je ris – tu ris – il rit – nous rions– vous riez– elles rient

– Radical du verbe + *-s, -s, - , -ons, -ez, -ent.* (→ Tableaux 52 à 56, 58 et 59)

j'attends – tu attends – il attend – nous attendons – vous attendez – elles attendent

– Radical du verbe + *-x, -x, -t, -ons, -ez, -ent.* (→ Tableaux 44 à 47)

je peux – tu peux – il peut – nous pouvons – vous pouvez – elles peuvent

– Radical du verbe + *-e, -es, -e, -ons, -ez, -ent.* (→ Tableaux 29, 30, 31)

j'ouvre – tu ouvres – il ouvre – nous ouvrons – vous ouvrez – elles ouvrent

CAS PARTICULIERS

• Certains verbes (et leurs dérivés) perdent la dernière lettre de leur radical pour les personnes du singulier.

vivre	je vis	tu vis	on vit	(→ Tableau 71)
mettre	je mets	tu mets	il met	(→ Tableau 63)
battre	je bats	tu bats	elle bat	(→ Tableau 62)
dormir	je dors	tu dors	il dort	(→ Tableau 22)
sentir	je sens	tu sens	on sent	(→ Tableau 22)
partir	je pars	tu pars	elle part	(→ Tableau 22)
sortir	je sors	tu sors	il sort	(→ Tableau 22)
mentir	je mens	tu mens	elle ment	(→ Tableau 22)

• Pour les verbes terminés par *-aître* à l'infinitif – ainsi que *plaire* –, on conserve l'accent circonflexe quand le « *i* » du radical est suivi d'un « *t* ».

paraître	je parais	tu parais	il paraît	(→ Tableau 64)

4. L'IMPARFAIT DE L'INDICATIF

FORMATION

• Radical du verbe + *-ais, -ais, -ait, -ions, -iez, -aient.*

je marchais – il descendait – nous plaisions – ils parlaient

• Mais pour les verbes du 2ᵉ groupe, on intercale l'élément « *-ss-* » entre le radical et la terminaison. (→ **Tableaux 20 et 21**)

tu réussissais – vous guérissiez

CAS PARTICULIERS

• Pour les verbes du 1ᵉʳ groupe terminés par *-gner, -iller, -ier, -yer* à l'infinitif, ne pas oublier d'ajouter le « *i* » à l'imparfait pour les deux premières personnes du pluriel. (→ **Tableaux 3, 4, 16 à 19**)

Pour bien faire la distinction, on remplace par une forme du singulier.

Aujourd'hui, nous skions, nous gagnons. Aujourd'hui, elle skie, elle gagne. → présent

Hier, nous skiions, nous gagnions. Hier, elle skiait, elle gagnait. → imparfait

• Certains verbes du 3ᵉ groupe (*bouillir, cueillir, fuir, voir, asseoir, craindre, peindre, croire, rire*) se conjuguent avec cette même particularité. (→ **Tableaux 24, 30, 33, 37, 40, 54, 55, 67, 77**)

nous riions – vous cueilliez – nous voyions – vous asseyiez (assoyiez) – vous craigniez

5. LE FUTUR SIMPLE

FORMATION

• Généralement, infinitif du verbe + *-ai, -as, -a, -ons, -ez, -ont* (sauf pour certains verbes du 3ᵉ groupe qui perdent le « e » de l'infinitif).

je resterai – tu finiras – elle signera – nous descendrons – ils peindront

• Penser à chercher l'infinitif du verbe pour **ne pas omettre une lettre muette** ou **en placer une superflue**.

Le ministre conclura son discours.	*conclure* : 3ᵉ groupe	→ pas de « e »
Le ministre saluera le Président.	*saluer* : 1ᵉʳ groupe	→ présence d'un « e »

CAS PARTICULIERS

• Le verbe *cueillir* se conjugue comme un verbe du 1ᵉʳ groupe. (→ **Tableau 30**)

je cueillerai – elle cueillera – nous cueillerons – ils cueilleront

• Certains verbes (*courir, pouvoir, mourir, voir, acquérir, entrevoir...*) doublent le « *r* » avant la terminaison. (→ **Tableaux 25, 26, 28, 37, 44**)

je courrai – tu pourras – elle mourra – nous verrons – vous acquerrez

Mais *pourvoir* et *prévoir* se conjuguent sur un autre radical. (→ **Tableaux 38, 39**)

Nous pourvoirons à tous vos besoins. Tu prévoiras une trousse de secours.

6. LE PASSÉ SIMPLE

FORMATION

• **1er groupe** : infinitif en *-er*. (→ Tableaux 3 à 19)
Radical du verbe + *-ai, -as, -a, -âmes, -âtes, -èrent.*

je criai – tu crias – elle cria – nous criâmes – vous criâtes – ils crièrent

Le verbe *aller* se conjugue comme un verbe du 1er groupe au passé simple.

• **2e groupe** : infinitif en *-ir*. (→ Tableaux 20 et 21)
Radical du verbe + *-is, -is, -it, -îmes, -îtes, -irent.*

j'agis – tu agis – elle agit – nous agîmes – vous agîtes – ils agirent

• **3e groupe** : infinitif en *-ir, -oir, -re*. (→ Tableaux 22 à 83)
– Radical du verbe + *-is, -is, -it, -îmes, -îtes, -irent.*

je souris – tu souris – il sourit – nous sourîmes – vous sourîtes – elles sourirent

– Radical du verbe + *-us, -us, -ut, -ûmes, -ûtes, -urent.*

je courus – tu courus – il courut – nous courûmes – vous courûtes – elles coururent

• À la 3e personne du singulier, il n'y a jamais d'accent sur la voyelle qui précède le « *t* ».

CAS PARTICULIER

• Attention aux verbes *venir* et *tenir* (et leurs composés). (→ Tableau 27)

je vins – tu tins – il vint – nous tînmes – vous vîntes – elles tinrent

7. LA FORMATION DU PARTICIPE PASSÉ

RÈGLE GÉNÉRALE

• Tous les participes passés des **verbes du 1er groupe** se terminent par *-é*.

affirmer : affirmé   rester : resté

• Tous les participes passés des **verbes du 2e groupe** se terminent par *-i*.

remplir : rempli   maigrir : maigri

• Les participes passés des **verbes du 3e groupe** se terminent par *-i* ou *-u*.

sourire : souri   vendre : vendu

CAS PARTICULIERS

• naître : né, née   devoir : dû, due   plaire : plu
pouvoir : pu   prévoir : prévu, prévue   vivre : vécu, vécue

• Certains participes passés se terminent toujours par **une lettre muette** « *t* » ou « *s* ».
Chercher le féminin du participe passé permet de trouver cette lettre muette.

faire : fait (faite)   dire : dit (dite)   asseoir : assis (assise)

8. LE PARTICIPE PASSÉ AVEC *ÊTRE*

ACCORD

• **Il s'accorde en genre et en nombre** avec le nom (ou le pronom) principal du sujet du verbe.

Le local de service est fermé. **Les entrées de secours** sont fermées.

• Lorsque le verbe a **plus d'un sujet**, l'accord se fait au masculin pluriel si au moins un des sujets est masculin.

Le local et l'entrée sont fermés. **L'entrée et la sortie** sont fermées.

GENRE

• Les pronoms personnels des 1re et 2e personnes – singulier et pluriel –, n'indiquent pas le genre. **Seule la personne qui écrit est en mesure de fixer ce genre.**

Je suis parti. → C'est un homme qui parle.

Tu es partie. → On parle à une femme.

• Quand le sujet est le pronom *on*, on peut accorder le participe passé.

On est arrivé à Paris. **On** est arrivés à Paris.

9. LE PARTICIPE PASSÉ DES VERBES PRONOMINAUX

VERBES UNIQUEMENT PRONOMINAUX

• Le participe passé des verbes uniquement pronominaux **s'accorde avec le sujet**.

Ils se sont réfugiés sous l'abribus. **Melissa** s'est absentée un instant.

VERBES OCCASIONNELLEMENT PRONOMINAUX AVEC COD

• Le participe passé des verbes occasionnellement pronominaux **s'accorde avec le complément d'objet direct** (qui peut être un pronom personnel) quand celui-ci est **placé avant le participe passé**. (voir p. 12)

Léa s'est préparée pour sortir. (COD : s' – Léa a préparé elle-même)

Léa s'est préparé des sandwichs. (COD : des sandwichs : pas d'accord)

Voici les sandwichs que Léa s'est préparés. (COD : que – des sandwichs : accord)

VERBES OCCASIONNELLEMENT PRONOMINAUX SANS COD

• Les participes passés des verbes occasionnellement pronominaux qui n'ont jamais de complément d'objet direct sont **invariables**.

Les essais de mise en service se sont succédé, sans résultat.

Ces deux personnes se sont plu immédiatement.

10. LE PARTICIPE PASSÉ AVEC *AVOIR*

ACCORD

• **Il ne s'accorde jamais** avec le sujet du verbe.

Ce pull a rétréci au lavage. Ces vestes ont rétréci au lavage.

• Le participe passé **s'accorde avec le complément d'objet direct** (COD) du verbe, seulement **si celui-ci est placé avant le participe passé**.

IDENTIFIER LE COD

• Pour trouver le COD, on pose la question « qui ? » ou « quoi ? » après le verbe.

Au concert, Grégory a retrouvé **ses amis**.

Grégory a retrouvé qui ? ses amis COD placé après le verbe → pas d'accord

Ses amis, Grégory **les** a retrouvés au concert.

Grégory a retrouvé qui ? les (mis pour ses amis) COD placé avant le verbe → accord

• Lorsqu'il est placé devant le participe passé, le COD est le plus souvent un **pronom** qui ne nous renseigne pas toujours sur le genre ou le nombre. Il faut donc **chercher le nom que remplace le pronom** pour bien accorder le participe passé.

Ces films, nous **les** avons vus.

COD les (mis pour les films) → accord au masculin pluriel

L'émission **que** vous nous avez conseillée passe demain.

COD que (mis pour l'émission) → accord au féminin singulier

• Ne pas confondre le **complément d'objet indirect** (COI), qui peut être placé avant le participe passé, avec un COD.

Les spectateurs ont applaudi ; la pièce leur a plu.

La pièce a plu à qui ? à leur (mis pour les spectateurs) → COI

CAS PARTICULIERS

• Le participe passé *fait* suivi d'un infinitif est toujours **invariable**.

Sa moto, Martin l'a fait réparer au garage voisin.

• Même si on peut l'accorder dans certains cas, le participe passé *laissé* suivi d'un infinitif demeure **invariable**.

Voici les canaris que William a laissé s'envoler.

• Lorsque le COD du verbe est le pronom *en*, le participe passé reste **invariable**.

J'ai apporté des gâteaux et nous **en** avons mangé.

• Le participe passé des **verbes impersonnels**, ou employés à la forme impersonnelle, reste **invariable**.

Cette protection, il l'aurait fallu plus étanche.

• Lorsque le pronom neutre *le* est COD, le participe passé est **invariable**.

Les orages devaient s'arrêter, enfin les agriculteurs **l'**avaient espéré.

11. LE PARTICIPE PRÉSENT ET L'ADJECTIF VERBAL

FORMATION DU PARTICIPE PRÉSENT

• Radical du verbe à la 1re personne du pluriel du présent de l'indicatif + *-ant.*

cherchant – finissant – ouvrant – prenant – vivant – croyant

CAS PARTICULIER

• Trois verbes ont un participe présent irrégulier :

être : étant avoir : ayant savoir : sachant

NE PAS CONFONDRE PARTICIPE PRÉSENT ET ADJECTIF VERBAL

• Pour distinguer **le participe présent**, toujours invariable, de **l'adjectif verbal**, qui s'accorde avec le nom auquel il se rapporte, on remplace le nom masculin par un nom féminin ; oralement, on entend la différence.

Souriant aux spectateurs, les chanteurs entrent en scène. → participe présent
Souriant aux spectateurs, les chanteuses entrent en scène. → participe présent
Les spectateurs ont face à eux des chanteurs souriants. → adjectif verbal
Les spectateurs ont face à eux des chanteuses souriantes. → adjectif verbal

DES ORTHOGRAPHES DIFFÉRENTES

• Parfois, participes présents et adjectifs verbaux ont des orthographes différentes.

participe présent	adjectif verbal
adhérant	adhérent
communiquant	communicant
convainquant	convaincant
convergeant	convergent
différant	différent
équivalant	équivalent
excellant	excellent
fatiguant	fatigant
naviguant	navigant
négligeant	négligent
précédant	précédent
provoquant	provocant
suffoquant	suffocant
vaquant	vacant
violant	violent

12. LE CONDITIONNEL

Le conditionnel a deux temps : le **présent** et le **passé**.

LE PRÉSENT DU CONDITIONNEL

• Radical du futur + terminaisons de l'imparfait (*-ais, -ais, -ait, -ions, -iez, -aient*).
• Pour les verbes du 1er et du 2e groupe, on retrouve donc l'infinitif en entier. Les verbes du 3e groupe, dont la terminaison à l'infinitif est *-e*, perdent cette lettre au présent du conditionnel.

j'aimerais – tu réussirais – elle comprendrait – nous voterions – vous gémiriez – ils viendraient

• Pour les verbes du 1er groupe terminés par *-ouer, -uer, -ier, -éer* à l'infinitif, il ne faut pas oublier de placer le « *e* » dans les formes du présent du conditionnel, même s'il ne s'entend guère.

jouer : je jouerais
copier : elle copierait
éternuer : tu éternuerais
créer : ils créeraient

• Pour **distinguer les terminaisons de la 1re personne du singulier du futur simple et celle du présent du conditionnel** qui ont la même prononciation, on remplace la 1re personne du singulier par une autre personne ; on entend alors la différence.

Je souhaiterai l'anniversaire de mon ami Hervé. (futur)
→ Tu souhaiteras l'anniversaire de ton ami Hervé.
Je souhaiterais que l'anniversaire d'Hervé soit une grande fête. (conditionnel)
→ Tu souhaiterais que l'anniversaire d'Hervé soit une grande fête.

• En aucun cas, le verbe de la subordonnée introduite par la conjonction *si* ne s'écrit au présent du conditionnel.
La proposition : « *Si* j'achèterais un téléphone portable... » est incorrecte. C'est un barbarisme.
La proposition correcte est : « *Si* j'achetais un téléphone portable, j'adopterais une sonnerie originale. »

LE PASSÉ DU CONDITIONNEL

• Auxiliaire *avoir* ou *être* au présent du conditionnel + participe passé.

j'aurais trouvé – tu aurais fini – elle serait venue – vous vous seriez couché(e)s

• Si le verbe de la proposition subordonnée, introduite par la conjonction *si*, est au **plus-que-parfait de l'indicatif**, le verbe de la proposition principale est au **passé du conditionnel**.

Si tu avais vu ce film, tu l'aurais apprécié.
Si la chèvre de Monsieur Seguin l'avait écouté, elle ne serait pas allée dans la montagne.
Si j'en avais eu l'occasion, je me serais allongé sous les arbres.

13. LE SUBJONCTIF

FORMATION

• Au présent du subjonctif, tous les verbes (sauf *être* et *avoir*) prennent les mêmes terminaisons (*-e, -es, -e, -ions, -iez, -ent*).

• Le subjonctif se trouve surtout dans les propositions subordonnées introduites par la conjonction *que*.

Il faut qu'elle traverse ... que nous dessinions ... que vous remuiez

• Pour les verbes du 2e groupe, l'élément « *-ss-* » est toujours intercalé entre le radical et la terminaison.

finir : Il faut que je fini<u>ss</u>e. réfléchir : Il faut que nous réfléchi<u>ss</u>ions.

CAS PARTICULIERS

• Le radical de certains verbes du 3e groupe est **modifié**.

aller : ... que j'aille	savoir : ... que tu saches	devoir : ... qu'elle doive
faire : ... que nous fassions	plaire : ... que vous plaisiez	voir : ... qu'ils voient
prendre : ... que je prenne	craindre : ... que tu craignes	mourir : ... qu'il meure
lire : ... que nous lisions	dire : ... que vous disiez	recevoir : ... qu'elle reçoivent

• Pour ne pas confondre les formes homophones des personnes du singulier du présent de l'indicatif et celles du présent du subjonctif de certains verbes du 3e groupe, on remplace par la 1re ou par la 2e personne du pluriel :

On sait que tu cours les brocantes chaque dimanche.
→ On sait que vous courez les brocantes chaque dimanche. → indicatif
On doute que tu coures les brocantes chaque dimanche.
→ On doute que vous couriez les brocantes chaque dimanche. → subjonctif

• Pour les verbes du 1er groupe terminés par *-gner, -iller, -ier, -yer* à l'infinitif, ne pas oublier d'ajouter le « *i* » au subjonctif.
Pour faire la distinction, on remplace par un verbe du 2e ou du 3e groupe. On entend alors la différence.

Nous gagnons (perdons) la partie. → présent de l'indicatif
Il faut que nous gagnions (perdions) la partie. → présent du subjonctif

QUELQUES LOCUTIONS CONJONCTIVES QUI IMPOSENT LE SUBJONCTIF

à condition que, à moins que, à supposer que, afin que, avant que, bien que, de crainte que, de façon que, de peur que, en admettant que, en attendant que, jusqu'à ce que, non que, pour peu que, pour que...

QUELQUES VERBES QUI IMPOSENT LE SUBJONCTIF DANS LA SUBORDONNÉE

approuver, attendre, avoir envie, craindre, déplorer, désirer, s'étonner, exiger, faire attention, interdire, ordonner, permettre, préférer, refuser, regretter, souhaiter, tenir à ce que, vouloir, douter, empêcher, essayer...

14. L'IMPÉRATIF

• Le présent de l'impératif est employé pour exprimer des ordres, des conseils, des souhaits, des recommandations, des demandes, des interdictions.
• L'impératif ne se conjugue qu'à **trois personnes** : deuxièmes personnes du singulier et du pluriel et première personne du pluriel.
Il n'y a **pas de pronom sujet**.
• L'impératif a deux temps : le **présent** et le **passé**.

Le présent de l'impératif

• Ne t'énerve pas. Traduisons ce texte. Respirez.
• Pour les verbes du 2e groupe, on intercale l'élément « *-ss-* » entre le radical et les terminaisons aux personnes du pluriel.

Ralentissons à l'entrée du village. Agissez !

Cas particuliers

• Les verbes du 1er groupe (ainsi que *ouvrir, offrir, souffrir, cueillir, aller* et *savoir*) ne prennent pas de « *s* » à la 2e personne du singulier.

Travaille un peu plus. N'oublie rien. Arrose les plantes.

Néanmoins, pour faciliter la prononciation, on ajoute un « *s* » lorsque l'impératif est suivi des pronoms *en* ou *y*.

Ces chocolats, offres-en à tes amis. N'hésite pas, vas-y franchement.

• Les deux auxiliaires et quelques verbes ont des **formes particulières**.

avoir : aie – ayons – ayez
être : sois – soyons – soyez
aller : va – allons – allez
savoir : sache – sachons – sachez
asseoir : assieds – asseyons – asseyez
asseoir : assois – assoyons – assoyez

• Pour les **verbes pronominaux**, la forme verbale du présent de l'impératif est suivie d'un pronom personnel réfléchi *toi, nous* ou *vous*.

Présente-toi au guichet de la poste ! Présentez-vous au guichet.

• Pour les verbes du 1er groupe, il ne faut pas confondre la 2e personne du singulier du présent de l'impératif, qui n'a pas de sujet exprimé, avec la 2e personne du singulier du présent de l'indicatif.

Appelle ton ami au téléphone. présent de l'impératif → « e »
Tu appelles ton ami au téléphone. présent de l'indicatif → « es »

Le passé de l'impératif

Formé de l'auxiliaire au présent de l'impératif et du participe passé.

Sois rentré(e) ! Ayons fini pour demain ! Soyez parti(e)s à temps.

15. VERBES EN *-YER*, *-ELER* ET *-ETER*

VERBES EN *-YER*

• Pour les verbes en *-uyer, -oyer, -ayer* à l'infinitif, le « *y* » se transforme en « *i* » devant les terminaisons commençant par un « *e* » muet. (→ Tableaux 16 à 18)

présent de l'indicatif : j'appuie – tu nettoies – elle paie – elles essuient
futur simple de l'indicatif : j'appuierai – tu essuieras – nous emploierons
présent du subjonctif : ... que j'appuie – ... qu'elle paie – ... qu'elles nettoient
présent de l'impératif : appuie – essuie – paie – nettoie

• Au futur simple, les verbes *envoyer* et *renvoyer* ont une conjugaison particulière. (→ Tableau 19)

envoyer : j'enverrai renvoyer : ils renverront

Remarque : même si, pour les verbes en *-ayer*, le maintien du « y » devant le « e » muet est toléré, il est préférable de transformer le « y » en « i » pour tous les verbes terminés par *-yer* dans un souci d'harmonisation.

VERBES EN *-ELER* ET *-ETER*

• La plupart des verbes en *-eler* et *-eter* à l'infinitif, doublent le « *l* » ou le « *t* » devant les terminaisons commençant par un « *e* » muet. (→ Tableaux 12 et 14)

présent de l'indicatif : j'appelle – tu chancelles – elle jette – elles feuillettent
futur simple de l'indicatif : j'appellerai – tu chancelleras – il jettera – elles feuilletteront
présent du subjonctif : ... que j'appelle – ... qu'elles feuillettent
présent de l'impératif : appelle – chancelle – jette – feuillette

• Quelques verbes terminés par *-eler* (*peler, geler, ciseler, congeler, écarteler, marteler, modeler, receler, démanteler*) et *-eter* (*acheter, crocheter, haleter, fureter*) ne doublent pas le « *l* » ou le « *t* » devant les terminaisons commençant par un « *e* » muet. Ils s'écrivent avec un accent grave sur le « *e* » qui précède le « *l* » ou le « *t* ». (→ Tableaux 13 et 15)

présent de l'indicatif : je pèle – tu achètes – il gèle – elles halètent
futur simple de l'indicatif : je pèlerai – il gèlera – vous crochèterez – elles halèteront
présent du subjonctif : ... que je pèle – ... que tu achètes – ... qu'il gèle
présent de l'impératif : pèle – achète – crochète

• Les verbes comme *interpeller* et *regretter* qui ont deux « *l* » ou deux « *t* » à l'infinitif les conservent à toutes les personnes. (→ Tableau 3)

interpeller : j'interpelle – nous interpellons
regretter : tu regrettes – vous regrettez

16. VERBES EN *-CER*, *-GER* ET AUTRES VERBES PARTICULIERS

VERBES EN *-CER*

• **Les verbes du 1er groupe** en *-cer* à l'infinitif prennent une **cédille** sous le « *c* » devant les terminaisons commençant par les voyelles « *o* » ou « *a* » pour conserver le son (*s*). (→ **Tableau 6**)

présent de l'indicatif : nous lançons
imparfait de l'indicatif : je lançais – tu plaçais – elle perçait – elles traçaient
passé simple de l'indicatif : je lançai – tu plaças – elle perça – vous grimaçâtes
présent de l'impératif : lançons

VERBES EN *-GER*

• **Les verbes du 1er groupe** en *-ger* à l'infinitif prennent un « *e* » après le « *g* » devant les terminaisons commençant par « *o* » ou « *a* » pour conserver le son (*je*). (→ **Tableaux 7 et 10**)

présent de l'indicatif : nous nageons
imparfait de l'indicatif : je nageais – tu dirigeais – elle jugeait – elles songeaient
passé simple de l'indicatif : je nageai – elle jugea – vous négligeâtes
présent de l'impératif : nageons

AUTRES VERBES PARTICULIERS

• Pour les verbes du 1er groupe, comme *achever*, qui ont un « *e* » muet dans l'avant-dernière syllabe de leur infinitif, on place un accent grave sur ce « *e* » devant une terminaison commençant par un « *e* » muet. (→ **Tableau 11**)

présent de l'indicatif : j'achève – tu sèmes – elle relève – elles mènent
futur simple de l'indicatif : j'achèverai – nous lèverons – vous pèserez
présent du subjonctif : ... que j'achève – ... que tu sèmes – ... qu'elles mènent
présent de l'impératif : achève – sème – relève-toi

• Pour les verbes du 1er groupe, comme *céder*, qui ont un « *é* » dans l'avant-dernière syllabe de leur infinitif, l'accent aigu devient un accent grave devant une terminaison commençant par un « *e* » muet. (→ **Tableau 9**)

présent de l'indicatif : je cède – tu règles – elle repère – elles tolèrent
futur simple de l'indicatif : je cèderai – nous gèrerons – vous possèderez
présent du subjonctif : ... que je cède – ... que tu règles – ... qu'elles tolèrent
présent de l'impératif : cède – règle – repère

• Quelques verbes du 3e groupe en *-cevoir* (*apercevoir, percevoir, concevoir, décevoir, recevoir*) s'écrivent également avec un « *ç* » devant les voyelles « *o* », « *u* ». (→ **Tableau 36**)

17. NE PAS CONFONDRE : *AI – AIE – AIES – AIT – AIENT – ES – EST*

Plusieurs formes des verbes *avoir* et *être* sont homophones. Pour les différencier, il suffit de changer de personne pour trouver le temps et le mode, puis d'observer le pronom personnel sujet.

- *ai* : présent de l'indicatif du verbe *avoir*.

  Pour remonter ce casse-tête, j'ai besoin de beaucoup de patience.

  → Pour remonter ce casse-tête, nous **avons** besoin de beaucoup de patience.

- *aie – aies – ait – aient* : présent du subjonctif du verbe *avoir*.

  Pour remonter ce casse-tête, il faut que j'aie beaucoup de patience.

  Pour remonter ce casse-tête, il faut que tu aies beaucoup de patience.

  Pour remonter ce casse-tête, il faut qu'elle ait beaucoup de patience.

  Pour remonter ce casse-tête, il faut qu'ils aient beaucoup de patience.

  → Pour remonter ce casse-tête, il faut que nous **ayons** beaucoup de patience.

- *es – est* : présent de l'indicatif du verbe *être*.

  Tu es très patient car ce casse-tête présente bien des difficultés.

  Germain est très patient car ce casse-tête présente bien des difficultés.

  → Nous **sommes** très patients car ce casse-tête présente bien des difficultés.

18. DISTINGUER LE PARTICIPE PASSÉ EN *-É*, L'INFINITIF EN *-ER* ET LA FORME VERBALE EN *-EZ*

Lorsqu'on entend le son (*é*) à la fin d'un verbe du 1er groupe, plusieurs terminaisons sont possibles (*-é, -er, -ez*). Pour les distinguer, on remplace par un verbe du 2e ou du 3e groupe pour lequel on entend nettement la différence.

infinitif : Nous allons fermer la porte. → Nous allons **prendre** la porte.

participe passé : Nous avons fermé la porte. → Nous avons **pris** la porte.

2e personne du pluriel : Vous fermez la porte. → Vous **prenez** la porte.

Par souci d'efficacité, choisir toujours le même verbe pour effectuer cette substitution.

Trouver la conjugaison d'un verbe

Grâce à l'index des verbes et aux tableaux de conjugaison types, vous pouvez conjuguer tous les verbes de la langue française.

- Pour cela, il vous suffit de rechercher par ordre alphabétique, dans l'index (pages 105 à 160), le verbe que vous souhaitez conjuguer.
- Le numéro qui figure en face de ce verbe vous donnera le numéro du modèle de conjugaison type. Vous trouverez ce modèle de conjugaison dans les pages qui suivent (pages 22 à 104), les tableaux étant classés par numéro.
- Vous appliquerez au verbe que vous voulez conjuguer les variations du radical et les terminaisons du verbe modèle.
- Les difficultés particulières de chaque conjugaison sont indiquées par les lettres en couleur.

Exemples :

1. Comment s'écrit le verbe *sortir* à la 2e personne du singulier du présent de l'impératif ?
Sortir a pour numéro de conjugaison **22** (il se conjugue comme *dormir*).
À la 2e personne du singulier du présent de l'impératif, le verbe modèle s'écrit *dors* ; *sortir* s'écrira donc *sors*.

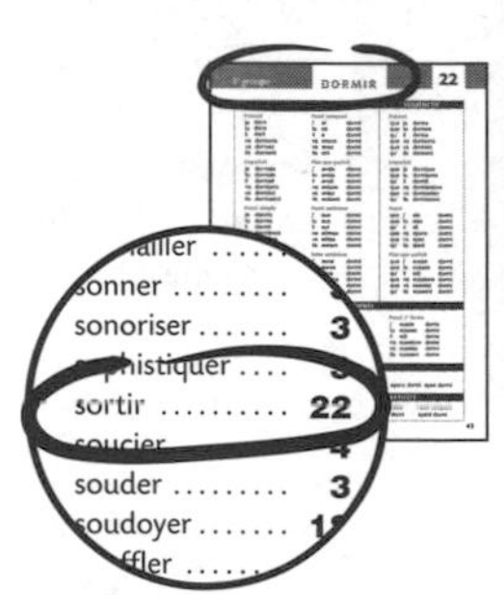

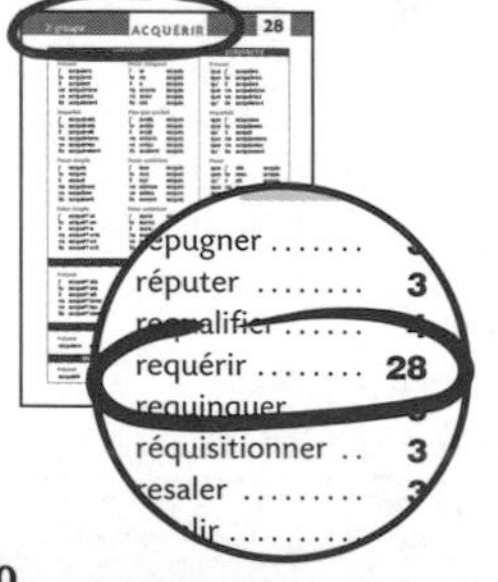

2. Quelle est la 3e personne du singulier du présent du subjonctif du verbe *requérir* ?
Requérir a pour numéro de conjugaison **28** (il se conjugue comme *acquérir*).
Acquérir fait *qu'il acquière* à la 3e personne du singulier du présent du subjonctif ; *requérir* fera donc *qu'il requière.*

Liste des 83 verbes types

1 Avoir
2 Être
3 Chanter
4 Crier
5 Créer
6 Placer
7 Manger
8 Naviguer
9 Céder
10 Assiéger
11 Lever
12 Appeler
13 Geler
14 Jeter
15 Acheter
16 Payer
17 Essuyer
18 Employer
19 Envoyer
20 Finir
21 Haïr
22 Dormir
23 Vêtir
24 Bouillir
25 Courir
26 Mourir
27 Venir
28 Acquérir
29 Offrir
30 Cueillir
31 Assaillir
32 Faillir
33 Fuir
34 Gésir
35 Ouïr
36 Recevoir
37 Voir
38 Prévoir
39 Pourvoir
40 Asseoir
41 Surseoir
42 Savoir
43 Devoir
44 Pouvoir
45 Vouloir
46 Valoir
47 Prévaloir
48 Mouvoir
49 Falloir
50 Pleuvoir
51 Déchoir
52 Rendre
53 Prendre
54 Craindre
55 Peindre
56 Joindre
57 Résoudre
58 Coudre
59 Moudre
60 Rompre
61 Vaincre
62 Battre
63 Mettre
64 Connaître
65 Naître
66 Croître
67 Croire
68 Plaire
69 Traire
70 Suivre
71 Vivre
72 Suffire
73 Dire
74 Maudire
75 Lire
76 Écrire
77 Rire
78 Conduire
79 Boire
80 Conclure
81 Clore
82 Faire
83 Aller

1 AVOIR

INDICATIF

Présent		Passé composé		
j'	ai	j'	ai	eu
tu	as	tu	as	eu
il	a	il	a	eu
ns	avons	ns	avons	eu
vs	avez	vs	avez	eu
ils	ont	ils	ont	eu

Imparfait		Plus-que parfait		
j'	avais	j'	avais	eu
tu	avais	tu	avais	eu
il	avait	il	avait	eu
ns	avions	ns	avions	eu
vs	aviez	vs	aviez	eu
ils	avaient	ils	avaient	eu

Passé simple		Passé antérieur		
j'	eus	j'	eus	eu
tu	eus	tu	eus	eu
il	eut	il	eut	eu
ns	eûmes	ns	eûmes	eu
vs	eûtes	vs	eûtes	eu
ils	eurent	ils	eurent	eu

Futur simple		Futur antérieur		
j'	aurai	j'	aurai	eu
tu	auras	tu	auras	eu
il	aura	il	aura	eu
ns	aurons	ns	aurons	eu
vs	aurez	vs	aurez	eu
ils	auront	ils	auront	eu

SUBJONCTIF

Présent		
que	j'	aie
que	tu	aies
qu'	il	ait
que	ns	ayons
que	vs	ayez
qu'	ils	aient

Imparfait		
que	j'	eusse
que	tu	eusses
qu'	il	eût
que	ns	eussions
que	vs	eussiez
qu'	ils	eussent

Passé			
que	j'	aie	eu
que	tu	aies	eu
qu'	il	ait	eu
que	ns	ayons	eu
que	vs	ayez	eu
qu'	ils	aient	eu

Plus-que-parfait			
que	j'	eusse	eu
que	tu	eusses	eu
qu'	il	eût	eu
que	ns	eussions	eu
que	vs	eussiez	eu
qu'	ils	eussent	eu

CONDITIONNEL

Présent		Passé 1re forme			Passé 2e forme		
j'	aurais	j'	aurais	eu	j'	eusse	eu
tu	aurais	tu	aurais	eu	tu	eusses	eu
il	aurait	il	aurait	eu	il	eût	eu
ns	aurions	ns	aurions	eu	ns	eussions	eu
vs	auriez	vs	auriez	eu	vs	eussiez	eu
ils	auraient	ils	auraient	eu	ils	eussent	eu

IMPÉRATIF

Présent			Passé		
aie	ayons	ayez	aie eu	ayons eu	ayez eu

INFINITIF

Présent	Passé
avoir	avoir eu

PARTICIPE

Présent	Passé	Passé composé
ayant	eu, eue	ayant eu

ÊTRE 2

INDICATIF

Présent		Passé composé		
je	suis	j'	ai	été
tu	es	tu	as	été
il	est	il	a	été
ns	sommes	ns	avons	été
vs	êtes	vs	avez	été
ils	sont	ils	ont	été
Imparfait		**Plus-que-parfait**		
j'	étais	j'	avais	été
tu	étais	tu	avais	été
il	était	il	avait	été
ns	étions	ns	avions	été
vs	étiez	vs	aviez	été
ils	étaient	ils	avaient	été
Passé simple		**Passé antérieur**		
je	fus	j'	eus	été
tu	fus	tu	eus	été
il	fut	il	eut	été
ns	fûmes	ns	eûmes	été
vs	fûtes	vs	eûtes	été
ils	furent	ils	eurent	été
Futur simple		**Futur antérieur**		
je	serai	j'	aurai	été
tu	seras	tu	auras	été
il	sera	il	aura	été
ns	serons	ns	aurons	été
vs	serez	vs	aurez	été
ils	seront	ils	auront	été

SUBJONCTIF

Présent			Passé			
que	je	sois	que	j'	aie	été
que	tu	sois	que	tu	aies	été
qu'	il	soit	qu'	il	ait	été
que	ns	soyons	que	ns	ayons	été
que	vs	soyez	que	vs	ayez	été
qu'	ils	soient	qu'	ils	aient	été
Imparfait			**Plus-que-parfait**			
que	je	fusse	que	j'	eusse	été
que	tu	fusses	que	tu	eusses	été
qu'	il	fût	qu'	il	eût	été
que	ns	fussions	que	ns	eussions	été
que	vs	fussiez	que	vs	eussiez	été
qu'	ils	fussent	qu'	ils	eussent	été

CONDITIONNEL

Présent		Passé 1re forme			Passé 2e forme		
je	serais	j'	aurais	été	j'	eusse	été
tu	serais	tu	aurais	été	tu	eusses	été
il	serait	il	aurait	été	il	eût	été
ns	serions	ns	aurions	été	ns	eussions	été
vs	seriez	vs	auriez	été	vs	eussiez	été
ils	seraient	ils	auraient	été	ils	eussent	été

IMPÉRATIF

Présent			Passé		
sois	soyons	soyez	aie été	ayons été	ayez été

INFINITIF

Présent	Passé
être	avoir été

PARTICIPE

Présent	Passé	Passé composé
étant	été	ayant été

3 CHANTER

1er groupe

INDICATIF

Présent		Passé composé		
je	chante	j'	ai	chanté
tu	chantes	tu	as	chanté
il	chante	il	a	chanté
ns	chantons	ns	avons	chanté
vs	chantez	vs	avez	chanté
ils	chantent	ils	ont	chanté
Imparfait		**Plus-que-parfait**		
je	chantais	j'	avais	chanté
tu	chantais	tu	avais	chanté
il	chantait	il	avait	chanté
ns	chantions	ns	avions	chanté
vs	chantiez	vs	aviez	chanté
ils	chantaient	ils	avaient	chanté
Passé simple		**Passé antérieur**		
je	chantai	j'	eus	chanté
tu	chantas	tu	eus	chanté
il	chanta	il	eut	chanté
ns	chantâmes	ns	eûmes	chanté
vs	chantâtes	vs	eûtes	chanté
ils	chantèrent	ils	eurent	chanté
Futur simple		**Futur antérieur**		
je	chanterai	j'	aurai	chanté
tu	chanteras	tu	auras	chanté
il	chantera	il	aura	chanté
ns	chanterons	ns	aurons	chanté
vs	chanterez	vs	aurez	chanté
ils	chanteront	ils	auront	chanté

SUBJONCTIF

Présent			
que	je	chante	
que	tu	chantes	
qu'	il	chante	
que	ns	chantions	
que	vs	chantiez	
qu'	ils	chantent	
Imparfait			
que	je	chantasse	
que	tu	chantasses	
qu'	il	chantât	
que	ns	chantassions	
que	vs	chantassiez	
qu'	ils	chantassent	
Passé			
que	j'	aie	chanté
que	tu	aies	chanté
qu'	il	ait	chanté
que	ns	ayons	chanté
que	vs	ayez	chanté
qu'	ils	aient	chanté
Plus-que-parfait			
que	j'	eusse	chanté
que	tu	eusses	chanté
qu'	il	eût	chanté
que	ns	eussions	chanté
que	vs	eussiez	chanté
qu'	ils	eussent	chanté

CONDITIONNEL

Présent		Passé 1re forme			Passé 2e forme		
je	chanterais	j'	aurais	chanté	j'	eusse	chanté
tu	chanterais	tu	aurais	chanté	tu	eusses	chanté
il	chanterait	il	aurait	chanté	il	eût	chanté
ns	chanterions	ns	aurions	chanté	ns	eussions	chanté
vs	chanteriez	vs	auriez	chanté	vs	eussiez	chanté
ils	chanteraient	ils	auraient	chanté	ils	eussent	chanté

IMPÉRATIF

Présent			Passé		
chante	chantons	chantez	aie chanté	ayons chanté	ayez chanté

INFINITIF

Présent	Passé
chanter	avoir chanté

PARTICIPE

Présent	Passé	Passé composé
chantant	chanté, e	ayant chanté

CRIER

INDICATIF

Présent	Passé composé
je crie	j' ai crié
tu cries	tu as crié
il crie	il a crié
ns crions	ns avons crié
vs criez	vs avez crié
ils crient	ils ont crié
Imparfait	**Plus-que-parfait**
je criais	j' avais crié
tu criais	tu avais crié
il criait	il avait crié
ns criions	ns avions crié
vs criiez	vs aviez crié
ils criaient	ils avaient crié
Passé simple	**Passé antérieur**
je criai	j' eus crié
tu crias	tu eus crié
il cria	il eut crié
ns criâmes	ns eûmes crié
vs criâtes	vs eûtes crié
ils crièrent	ils eurent crié
Futur simple	**Futur antérieur**
je crierai	j' aurai crié
tu crieras	tu auras crié
il criera	il aura crié
ns crierons	ns aurons crié
vs crierez	vs aurez crié
ils crieront	ils auront crié

SUBJONCTIF

Présent	Imparfait
que je crie	que je criasse
que tu cries	que tu criasses
qu' il crie	qu' il criât
que ns criions	que ns criassions
que vs criiez	que vs criassiez
qu' ils crient	qu' ils criassent
Passé	**Plus-que-parfait**
que j' aie crié	que j' eusse crié
que tu aies crié	que tu eusses crié
qu' il ait crié	qu' il eût crié
que ns ayons crié	que ns eussions crié
que vs ayez crié	que vs eussiez crié
qu' ils aient crié	qu' ils eussent crié

CONDITIONNEL

Présent	Passé 1re forme	Passé 2e forme
je crierais	j' aurais crié	j' eusse crié
tu crierais	tu aurais crié	tu eusses crié
il crierait	il aurait crié	il eût crié
ns crierions	ns aurions crié	ns eussions crié
vs crieriez	vs auriez crié	vs eussiez crié
ils crieraient	ils auraient crié	ils eussent crié

IMPÉRATIF

Présent			Passé		
crie	crions	criez	aie crié	ayons crié	ayez crié

INFINITIF

Présent	Passé
crier	avoir crié

PARTICIPE

Présent	Passé	Passé composé
criant	crié, e	ayant crié

CRÉER

INDICATIF

Présent	Passé composé
je crée	j' ai créé
tu crées	tu as créé
il crée	il a créé
ns créons	ns avons créé
vs créez	vs avez créé
ils créent	ils ont créé

Imparfait	Plus-que-parfait
je créais	j' avais créé
tu créais	tu avais créé
il créait	il avait créé
ns créions	ns avions créé
vs créiez	vs aviez créé
ils créaient	ils avaient créé

Passé simple	Passé antérieur
je créai	j' eus créé
tu créas	tu eus créé
il créa	il eut créé
ns créâmes	ns eûmes créé
vs créâtes	vs eûtes créé
ils créèrent	ils eurent créé

Futur simple	Futur antérieur
je créerai	j' aurai créé
tu créeras	tu auras créé
il créera	il aura créé
ns créerons	ns aurons créé
vs créerez	vs aurez créé
ils créeront	ils auront créé

SUBJONCTIF

Présent	Imparfait
que je crée	que je créasse
que tu crées	que tu créasses
qu' il crée	qu' il créât
que ns créions	que ns créassions
que vs créiez	que vs créassiez
qu' ils créent	qu' ils créassent

Passé	Plus-que-parfait
que j' aie créé	que j' eusse créé
que tu aies créé	que tu eusses créé
qu' il ait créé	qu' il eût créé
que ns ayons créé	que ns eussions créé
que vs ayez créé	que vs eussiez créé
qu' ils aient créé	qu' ils eussent créé

CONDITIONNEL

Présent	Passé 1re forme	Passé 2e forme
je créerais	j' aurais créé	j' eusse créé
tu créerais	tu aurais créé	tu eusses créé
il créerait	il aurait créé	il eût créé
ns créerions	ns aurions créé	ns eussions créé
vs créeriez	vs auriez créé	vs eussiez créé
ils créeraient	ils auraient créé	ils eussent créé

IMPÉRATIF

Présent			Passé		
crée	créons	créez	aie créé	ayons créé	ayez créé

INFINITIF

Présent	Passé
créer	avoir créé

PARTICIPE

Présent	Passé	Passé composé
créant	créé, créée	ayant créé

PLACER

INDICATIF

Présent	Passé composé
je place	j' ai placé
tu places	tu as placé
il place	il a placé
ns plaçons	ns avons placé
vs placez	vs avez placé
ils placent	ils ont placé

Imparfait	Plus-que-parfait
je plaçais	j' avais placé
tu plaçais	tu avais placé
il plaçait	il avait placé
ns placions	ns avions placé
vs placiez	vs aviez placé
ils plaçaient	ils avaient placé

Passé simple	Passé antérieur
je plaçai	j' eus placé
tu plaças	tu eus placé
il plaça	il eut placé
ns plaçâmes	ns eûmes placé
vs plaçâtes	vs eûtes placé
ils placèrent	ils eurent placé

Futur simple	Futur antérieur
je placerai	j' aurai placé
tu placeras	tu auras placé
il placera	il aura placé
ns placerons	ns aurons placé
vs placerez	vs aurez placé
ils placeront	ils auront placé

SUBJONCTIF

Présent	Imparfait
que je place	que je plaçasse
que tu places	que tu plaçasses
qu' il place	qu' il plaçât
que ns placions	que ns plaçassions
que vs placiez	que vs plaçassiez
qu' ils placent	qu' ils plaçassent

Passé	Plus-que-parfait
que j' aie placé	que j' eusse placé
que tu aies placé	que tu eusses placé
qu' il ait placé	qu' il eût placé
que ns ayons placé	que ns eussions placé
que vs ayez placé	que vs eussiez placé
qu' ils aient placé	qu' ils eussent placé

CONDITIONNEL

Présent	Passé 1re forme	Passé 2e forme
je placerais	j' aurais placé	j' eusse placé
tu placerais	tu aurais placé	tu eusses placé
il placerait	il aurait placé	il eût placé
ns placerions	ns aurions placé	ns eussions placé
vs placeriez	vs auriez placé	vs eussiez placé
ils placeraient	ils auraient placé	ils eussent placé

IMPÉRATIF

Présent
place plaçons placez

Passé
aie placé ayons placé ayez placé

INFINITIF

Présent
placer

Passé
avoir placé

PARTICIPE

Présent
plaçant

Passé
placé, e

Passé composé
ayant placé

7 MANGER

1er groupe

INDICATIF

Présent	Passé composé
je mange	j'ai mangé
tu manges	tu as mangé
il mange	il a mangé
ns mangeons	ns avons mangé
vs mangez	vs avez mangé
ils mangent	ils ont mangé

Imparfait	Plus-que-parfait
je mangeais	j'avais mangé
tu mangeais	tu avais mangé
il mangeait	il avait mangé
ns mangions	ns avions mangé
vs mangiez	vs aviez mangé
ils mangeaient	ils avaient mangé

Passé simple	Passé antérieur
je mangeai	j'eus mangé
tu mangeas	tu eus mangé
il mangea	il eut mangé
ns mangeâmes	ns eûmes mangé
vs mangeâtes	vs eûtes mangé
ils mangèrent	ils eurent mangé

Futur simple	Futur antérieur
je mangerai	j'aurai mangé
tu mangeras	tu auras mangé
il mangera	il aura mangé
ns mangerons	ns aurons mangé
vs mangerez	vs aurez mangé
ils mangeront	ils auront mangé

SUBJONCTIF

Présent	Imparfait
que je mange	que je mangeasse
que tu manges	que tu mangeasses
qu'il mange	qu'il mangeât
que ns mangions	que ns mangeassions
que vs mangiez	que vs mangeassiez
qu'ils mangent	qu'ils mangeassent

Passé	Plus-que-parfait
que j'aie mangé	que j'eusse mangé
que tu aies mangé	que tu eusses mangé
qu'il ait mangé	qu'il eût mangé
que ns ayons mangé	que ns eussions mangé
que vs ayez mangé	que vs eussiez mangé
qu'ils aient mangé	qu'ils eussent mangé

CONDITIONNEL

Présent	Passé 1re forme	Passé 2e forme
je mangerais	j'aurais mangé	j'eusse mangé
tu mangerais	tu aurais mangé	tu eusses mangé
il mangerait	il aurait mangé	il eût mangé
ns mangerions	ns aurions mangé	ns eussions mangé
vs mangeriez	vs auriez mangé	vs eussiez mangé
ils mangeraient	ils auraient mangé	ils eussent mangé

IMPÉRATIF

Présent

mange mangeons mangez

Passé

aie mangé ayons mangé ayez mangé

INFINITIF

Présent	Passé
manger	avoir mangé

PARTICIPE

Présent	Passé	Passé composé
mangeant	mangé, e	ayant mangé

NAVIGUER

INDICATIF

Présent	Passé composé
je navigue	j' ai navigué
tu navigues	tu as navigué
il navigue	il a navigué
ns naviguons	ns avons navigué
vs naviguez	vs avez navigué
ils naviguent	ils ont navigué
Imparfait	**Plus-que-parfait**
je naviguais	j' avais navigué
tu naviguais	tu avais navigué
il naviguait	il avait navigué
ns naviguions	ns avions navigué
vs naviguiez	vs aviez navigué
ils naviguaient	ils avaient navigué
Passé simple	**Passé antérieur**
je naviguai	j' eus navigué
tu naviguas	tu eus navigué
il navigua	il eut navigué
ns naviguâmes	ns eûmes navigué
vs naviguâtes	vs eûtes navigué
ils naviguèrent	ils eurent navigué
Futur simple	**Futur antérieur**
je naviguerai	j' aurai navigué
tu navigueras	tu auras navigué
il naviguera	il aura navigué
ns naviguerons	ns aurons navigué
vs naviguerez	vs aurez navigué
ils navigueront	ils auront navigué

SUBJONCTIF

Présent	Imparfait
que je navigue	que je naviguasse
que tu navigues	que tu naviguasses
qu' il navigue	qu' il naviguât
que ns naviguions	que ns naviguassions
que vs naviguiez	que vs naviguassiez
qu' ils naviguent	qu' ils naviguassent
Passé	**Plus-que-parfait**
que j' aie navigué	que j' eusse navigué
que tu aies navigué	que tu eusses navigué
qu' il ait navigué	qu' il eût navigué
que ns ayons navigué	que ns eussions navigué
que vs ayez navigué	que vs eussiez navigué
qu' ils aient navigué	qu' ils eussent navigué

CONDITIONNEL

Présent	Passé 1re forme	Passé 2e forme
je naviguerais	j' aurais navigué	j' eusse navigué
tu naviguerais	tu aurais navigué	tu eusses navigué
il naviguerait	il aurait navigué	il eût navigué
ns naviguerions	ns aurions navigué	ns eussions navigué
vs navigueriez	vs auriez navigué	vs eussiez navigué
ils navigueraient	ils auraient navigué	ils eussent navigué

IMPÉRATIF

Présent			Passé		
navigue	naviguons	naviguez	aie navigué	ayons navigué	ayez navigué

INFINITIF

Présent	Passé
naviguer	avoir navigué

PARTICIPE

Présent	Passé	Passé composé
naviguant	navigué, e	ayant navigué

CÉDER

INDICATIF

Présent	Passé composé
je cède	j' ai cédé
tu cèdes	tu as cédé
il cède	il a cédé
ns cédons	ns avons cédé
vs cédez	vs avez cédé
ils cèdent	ils ont cédé

Imparfait	Plus-que-parfait
je cédais	j' avais cédé
tu cédais	tu avais cédé
il cédait	il avait cédé
ns cédions	ns avions cédé
vs cédiez	vs aviez cédé
ils cédaient	ils avaient cédé

Passé simple	Passé antérieur
je cédai	j' eus cédé
tu cédas	tu eus cédé
il céda	il eut cédé
ns cédâmes	ns eûmes cédé
vs cédâtes	vs eûtes cédé
ils cédèrent	ils eurent cédé

Futur simple		Futur antérieur
je céderai	(cèderai)	j' aurai cédé
tu céderas	(cèderas)	tu auras cédé
il cédera	(cèdera)	il aura cédé
ns céderons	(cèderons)	ns aurons cédé
vs céderez	(cèderez)	vs aurez cédé
ils céderont	(cèderont)	ils auront cédé

SUBJONCTIF

Présent	Imparfait
que je cède	que je cédasse
que tu cèdes	que tu cédasses
qu' il cède	qu' il cédât
que ns cédions	que ns cédassions
que vs cédiez	que vs cédassiez
qu' ils cèdent	qu' ils cédassent

Passé	Plus-que-parfait
que j' aie cédé	que j' eusse cédé
que tu aies cédé	que tu eusses cédé
qu' il ait cédé	qu' il eût cédé
que ns ayons cédé	que ns eussions cédé
que vs ayez cédé	que vs eussiez cédé
qu' ils aient cédé	qu' ils eussent cédé

CONDITIONNEL

Présent		Passé 1re forme	Passé 2e forme
je céderais	(cèderais)	j' aurais cédé	j' eusse cédé
tu céderais	(cèderais)	tu aurais cédé	tu eusses cédé
il céderait	(cèderait)	il aurait cédé	il eût cédé
ns céderions	(cèderions)	ns aurions cédé	ns eussions cédé
vs céderiez	(cèderiez)	vs auriez cédé	vs eussiez cédé
ils céderaient	(cèderaient)	ils auraient cédé	ils eussent cédé

IMPÉRATIF

Présent			Passé		
cède	cédons	cédez	aie cédé	ayons cédé	ayez cédé

INFINITIF

Présent	Passé
céder	avoir cédé

PARTICIPE

Présent	Passé	Passé composé
cédant	cédé, e	ayant cédé

ASSIÉGER

INDICATIF

Présent		Passé composé		
j'	assiège	j'	ai	assiégé
tu	assièges	tu	as	assiégé
il	assiège	il	a	assiégé
ns	assiégeons	ns	avons	assiégé
vs	assiégez	vs	avez	assiégé
ils	assiègent	ils	ont	assiégé

Imparfait		Plus-que-parfait		
j'	assiégeais	j'	avais	assiégé
tu	assiégeais	tu	avais	assiégé
il	assiégeait	il	avait	assiégé
ns	assiégions	ns	avions	assiégé
vs	assiégiez	vs	aviez	assiégé
ils	assiégeaient	ils	avaient	assiégé

Passé simple		Passé antérieur		
j'	assiégeai	j'	eus	assiégé
tu	assiégeas	tu	eus	assiégé
il	assiégea	il	eut	assiégé
ns	assiégeâmes	ns	eûmes	assiégé
vs	assiégeâtes	vs	eûtes	assiégé
ils	assiégèrent	ils	eurent	assiégé

Futur simple			Futur antérieur		
j'	assiégerai	(assiègerai)	j'	aurai	assiégé
tu	assiégeras	(assiègeras)	tu	auras	assiégé
il	assiégera	(assiègera)	il	aura	assiégé
ns	assiégerons	(assiègerons)	ns	aurons	assiégé
vs	assiégerez	(assiègerez)	vs	aurez	assiégé
ils	assiégeront	(assiègeront)	ils	auront	assiégé

SUBJONCTIF

Présent		
que	j'	assiège
que	tu	assièges
qu'	il	assiège
que	ns	assiégions
que	vs	assiégiez
qu'	ils	assiègent

Imparfait		
que	j'	assiégeasse
que	tu	assiégeasses
qu'	il	assiégeât
que	ns	assiégeassions
que	vs	assiégeassiez
qu'	ils	assiégeassent

Passé			
que	j'	aie	assiégé
que	tu	aies	assiégé
qu'	il	ait	assiégé
que	ns	ayons	assiégé
que	vs	ayez	assiégé
qu'	ils	aient	assiégé

Plus-que-parfait			
que	j'	eusse	assiégé
que	tu	eusses	assiégé
qu'	il	eût	assiégé
que	ns	eussions	assiégé
que	vs	eussiez	assiégé
qu'	ils	eussent	assiégé

CONDITIONNEL

Présent			Passé 1re forme			Passé 2e forme		
j'	assiégerais	(assiègerais)	j'	aurais	assiégé	j'	eusse	assiégé
tu	assiégerais	(assiègerais)	tu	aurais	assiégé	tu	eusses	assiégé
il	assiégerait	(assiègerait)	il	aurait	assiégé	il	eût	assiégé
ns	assiégerions	(assiègerions)	ns	aurions	assiégé	ns	eussions	assiégé
vs	assiégeriez	(assiègeriez)	vs	auriez	assiégé	vs	eussiez	assiégé
ils	assiégeraient	(assiègeraient)	ils	auraient	assiégé	ils	eussent	assiégé

IMPÉRATIF

Présent			Passé		
assiège	assiégeons	assiégez	aie assiégé	ayons assiégé	ayez assiégé

INFINITIF

Présent	Passé
assiéger	avoir assiégé

PARTICIPE

Présent	Passé	Passé composé
assiégeant	assiégé, e	ayant assiégé

11 LEVER

1er groupe

INDICATIF

Présent		Passé composé		
je	lève	j'	ai	levé
tu	lèves	tu	as	levé
il	lève	il	a	levé
ns	levons	ns	avons	levé
vs	levez	vs	avez	levé
ils	lèvent	ils	ont	levé

Imparfait		Plus-que-parfait		
je	levais	j'	avais	levé
tu	levais	tu	avais	levé
il	levait	il	avait	levé
ns	levions	ns	avions	levé
vs	leviez	vs	aviez	levé
ils	levaient	ils	avaient	levé

Passé simple		Passé antérieur		
je	levai	j'	eus	levé
tu	levas	tu	eus	levé
il	leva	il	eut	levé
ns	levâmes	ns	eûmes	levé
vs	levâtes	vs	eûtes	levé
ils	levèrent	ils	eurent	levé

Futur simple		Futur antérieur		
je	lèverai	j'	aurai	levé
tu	lèveras	tu	auras	levé
il	lèvera	il	aura	levé
ns	lèverons	ns	aurons	levé
vs	lèverez	vs	aurez	levé
ils	lèveront	ils	auront	levé

SUBJONCTIF

Présent		
que	je	lève
que	tu	lèves
qu'	il	lève
que	ns	levions
que	vs	leviez
qu'	ils	lèvent

Imparfait		
que	je	levasse
que	tu	levasses
qu'	il	levât
que	ns	levassions
que	vs	levassiez
qu'	ils	levassent

Passé			
que	j'	aie	levé
que	tu	aies	levé
qu'	il	ait	levé
que	ns	ayons	levé
que	vs	ayez	levé
qu'	ils	aient	levé

Plus-que-parfait			
que	j'	eusse	levé
que	tu	eusses	levé
qu'	il	eût	levé
que	ns	eussions	levé
que	vs	eussiez	levé
qu'	ils	eussent	levé

CONDITIONNEL

Présent		Passé 1re forme			Passé 2e forme		
je	lèverais	j'	aurais	levé	j'	eusse	levé
tu	lèverais	tu	aurais	levé	tu	eusses	levé
il	lèverait	il	aurait	levé	il	eût	levé
ns	lèverions	ns	aurions	levé	ns	eussions	levé
vs	lèveriez	vs	auriez	levé	vs	eussiez	levé
ils	lèveraient	ils	auraient	levé	ils	eussent	levé

IMPÉRATIF

Présent			Passé		
lève	levons	levez	aie levé	ayons levé	ayez levé

INFINITIF

Présent	Passé
lever	avoir levé

PARTICIPE

Présent	Passé	Passé composé
levant	levé, e	ayant levé

APPELER

INDICATIF

Présent	Passé composé
j' appelle	j' ai appelé
tu appelles	tu as appelé
il appelle	il a appelé
ns appelons	ns avons appelé
vs appelez	vs avez appelé
ils appellent	ils ont appelé
Imparfait	**Plus-que-parfait**
j' appelais	j' avais appelé
tu appelais	tu avais appelé
il appelait	il avait appelé
ns appelions	ns avions appelé
vs appeliez	vs aviez appelé
ils appelaient	ils avaient appelé
Passé simple	**Passé antérieur**
j' appelai	j' eus appelé
tu appelas	tu eus appelé
il appela	il eut appelé
ns appelâmes	ns eûmes appelé
vs appelâtes	vs eûtes appelé
ils appelèrent	ils eurent appelé
Futur simple	**Futur antérieur**
j' appellerai	j' aurai appelé
tu appelleras	tu auras appelé
il appellera	il aura appelé
ns appellerons	ns aurons appelé
vs appellerez	vs aurez appelé
ils appelleront	ils auront appelé

SUBJONCTIF

Présent	Imparfait
que j' appelle	que j' appelasse
que tu appelles	que tu appelasses
qu' il appelle	qu' il appelât
que ns appelions	que ns appelassions
que vs appeliez	que vs appelassiez
qu' ils appellent	qu' ils appelassent
Passé	**Plus-que-parfait**
que j' aie appelé	que j' eusse appelé
que tu aies appelé	que tu eusses appelé
qu' il ait appelé	qu' il eût appelé
que ns ayons appelé	que ns eussions appelé
que vs ayez appelé	que vs eussiez appelé
qu' ils aient appelé	qu' ils eussent appelé

CONDITIONNEL

Présent	Passé 1re forme	Passé 2e forme
j' appellerais	j' aurais appelé	j' eusse appelé
tu appellerais	tu aurais appelé	tu eusses appelé
il appellerait	il aurait appelé	il eût appelé
ns appellerions	ns aurions appelé	ns eussions appelé
vs appelleriez	vs auriez appelé	vs eussiez appelé
ils appelleraient	ils auraient appelé	ils eussent appelé

IMPÉRATIF

Présent			Passé		
appelle	appelons	appelez	aie appelé	ayons appelé	ayez appelé

INFINITIF

Présent	Passé
appeler	avoir appelé

PARTICIPE

Présent	Passé	Passé composé
appelant	appelé, e	ayant appelé

13 GELER

1er groupe

INDICATIF

Présent	Passé composé
je gèle	j' ai gelé
tu gèles	tu as gelé
il gèle	il a gelé
ns gelons	ns avons gelé
vs gelez	vs avez gelé
ils gèlent	ils ont gelé
Imparfait	**Plus-que-parfait**
je gelais	j' avais gelé
tu gelais	tu avais gelé
il gelait	il avait gelé
ns gelions	ns avions gelé
vs geliez	vs aviez gelé
ils gelaient	ils avaient gelé
Passé simple	**Passé antérieur**
je gelai	j' eus gelé
tu gelas	tu eus gelé
il gela	il eut gelé
ns gelâmes	ns eûmes gelé
vs gelâtes	vs eûtes gelé
ils gelèrent	ils eurent gelé
Futur simple	**Futur antérieur**
je gèlerai	j' aurai gelé
tu gèleras	tu auras gelé
il gèlera	il aura gelé
ns gèlerons	ns aurons gelé
vs gèlerez	vs aurez gelé
ils gèleront	ils auront gelé

SUBJONCTIF

Présent
que je gèle
que tu gèles
qu' il gèle
que ns gelions
que vs geliez
qu' ils gèlent
Imparfait
que je gelasse
que tu gelasses
qu' il gelât
que ns gelassions
que vs gelassiez
qu' ils gelassent
Passé
que j' aie gelé
que tu aies gelé
qu' il ait gelé
que ns ayons gelé
que vs ayez gelé
qu' ils aient gelé
Plus-que-parfait
que j' eusse gelé
que tu eusses gelé
qu' il eût gelé
que ns eussions gelé
que vs eussiez gelé
qu' ils eussent gelé

CONDITIONNEL

Présent	Passé 1re forme	Passé 2e forme
je gèlerais	j' aurais gelé	j' eusse gelé
tu gèlerais	tu aurais gelé	tu eusses gelé
il gèlerait	il aurait gelé	il eût gelé
ns gèlerions	ns aurions gelé	ns eussions gelé
vs gèleriez	vs auriez gelé	vs eussiez gelé
ils gèleraient	ils auraient gelé	ils eussent gelé

IMPÉRATIF

Présent			Passé		
gèle	gelons	gelez	aie gelé	ayons gelé	ayez gelé

INFINITIF

Présent	Passé
geler	avoir gelé

PARTICIPE

Présent	Passé	Passé composé
gelant	gelé, e	ayant gelé

JETER

INDICATIF

Présent	Passé composé
je jette	j' ai jeté
tu jettes	tu as jeté
il jette	il a jeté
ns jetons	ns avons jeté
vs jetez	vs avez jeté
ils jettent	ils ont jeté

Imparfait	Plus-que-parfait
je jetais	j' avais jeté
tu jetais	tu avais jeté
il jetait	il avait jeté
ns jetions	ns avions jeté
vs jetiez	vs aviez jeté
ils jetaient	ils avaient jeté

Passé simple	Passé antérieur
je jetai	j' eus jeté
tu jetas	tu eus jeté
il jeta	il eut jeté
ns jetâmes	ns eûmes jeté
vs jetâtes	vs eûtes jeté
ils jetèrent	ils eurent jeté

Futur simple	Futur antérieur
je jetterai	j' aurai jeté
tu jetteras	tu auras jeté
il jettera	il aura jeté
ns jetterons	ns aurons jeté
vs jetterez	vs aurez jeté
ils jetteront	ils auront jeté

SUBJONCTIF

Présent	Imparfait
que je jette	que je jetasse
que tu jettes	que tu jetasses
qu' il jette	qu' il jetât
que ns jetions	que ns jetassions
que vs jetiez	que vs jetassiez
qu' ils jettent	qu' ils jetassent

Passé	Plus-que-parfait
que j' aie jeté	que j' eusse jeté
que tu aies jeté	que tu eusses jeté
qu' il ait jeté	qu' il eût jeté
que ns ayons jeté	que ns eussions jeté
que vs ayez jeté	que vs eussiez jeté
qu' ils aient jeté	qu' ils eussent jeté

CONDITIONNEL

Présent	Passé 1re forme	Passé 2e forme
je jetterais	j' aurais jeté	j' eusse jeté
tu jetterais	tu aurais jeté	tu eusses jeté
il jetterait	il aurait jeté	il eût jeté
ns jetterions	ns aurions jeté	ns eussions jeté
vs jetteriez	vs auriez jeté	vs eussiez jeté
ils jetteraient	ils auraient jeté	ils eussent jeté

IMPÉRATIF

Présent			Passé		
jette	jetons	jetez	aie jeté	ayons jeté	ayez jeté

INFINITIF

Présent	Passé
jeter	avoir jeté

PARTICIPE

Présent	Passé	Passé composé
jetant	jeté, e	ayant jeté

15 ACHETER 1er groupe

INDICATIF

Présent		Passé composé		
j'	achète	j'	ai	acheté
tu	achètes	tu	as	acheté
il	achète	il	a	acheté
ns	achetons	ns	avons	acheté
vs	achetez	vs	avez	acheté
ils	achètent	ils	ont	acheté

Imparfait		Plus-que-parfait		
j'	achetais	j'	avais	acheté
tu	achetais	tu	avais	acheté
il	achetait	il	avait	acheté
ns	achetions	ns	avions	acheté
vs	achetiez	vs	aviez	acheté
ils	achetaient	ils	avaient	acheté

Passé simple		Passé antérieur		
j'	achetai	j'	eus	acheté
tu	achetas	tu	eus	acheté
il	acheta	il	eut	acheté
ns	achetâmes	ns	eûmes	acheté
vs	achetâtes	vs	eûtes	acheté
ils	achetèrent	ils	eurent	acheté

Futur simple		Futur antérieur		
j'	achèterai	j'	aurai	acheté
tu	achèteras	tu	auras	acheté
il	achètera	il	aura	acheté
ns	achèterons	ns	aurons	acheté
vs	achèterez	vs	aurez	acheté
ils	achèteront	ils	auront	acheté

SUBJONCTIF

Présent

que	j'	achète
que	tu	achètes
qu'	il	achète
que	ns	achetions
que	vs	achetiez
qu'	ils	achètent

Imparfait

que	j'	achetasse
que	tu	achetasses
qu'	il	achetât
que	ns	achetassions
que	vs	achetassiez
qu'	ils	achetassent

Passé

que	j'	aie	acheté
que	tu	aies	acheté
qu'	il	ait	acheté
que	ns	ayons	acheté
que	vs	ayez	acheté
qu'	ils	aient	acheté

Plus-que-parfait

que	j'	eusse	acheté
que	tu	eusses	acheté
qu'	il	eût	acheté
que	ns	eussions	acheté
que	vs	eussiez	acheté
qu'	ils	eussent	acheté

CONDITIONNEL

Présent		Passé 1re forme			Passé 2e forme		
j'	achèterais	j'	aurais	acheté	j'	eusse	acheté
tu	achèterais	tu	aurais	acheté	tu	eusses	acheté
il	achèterait	il	aurait	acheté	il	eût	acheté
ns	achèterions	ns	aurions	acheté	ns	eussions	acheté
vs	achèteriez	vs	auriez	acheté	vs	eussiez	acheté
ils	achèteraient	ils	auraient	acheté	ils	eussent	acheté

IMPÉRATIF

Présent

achète achetons achetez

Passé

aie acheté ayons acheté ayez acheté

INFINITIF

Présent	Passé
acheter	avoir acheté

PARTICIPE

Présent	Passé	Passé composé
achetant	acheté, e	ayant acheté

PAYER

INDICATIF

Présent		Passé composé		
je	paie	j'	ai	payé
tu	paies	tu	as	payé
il	paie	il	a	payé
ns	payons	ns	avons	payé
vs	payez	vs	avez	payé
ils	paient	ils	ont	payé
Imparfait		**Plus-que-parfait**		
je	payais	j'	avais	payé
tu	payais	tu	avais	payé
il	payait	il	avait	payé
ns	payions	ns	avions	payé
vs	payiez	vs	aviez	payé
ils	payaient	ils	avaient	payé
Passé simple		**Passé antérieur**		
je	payai	j'	eus	payé
tu	payas	tu	eus	payé
il	paya	il	eut	payé
ns	payâmes	ns	eûmes	payé
vs	payâtes	vs	eûtes	payé
ils	payèrent	ils	eurent	payé
Futur simple		**Futur antérieur**		
je	paierai	j'	aurai	payé
tu	paieras	tu	auras	payé
il	paiera	il	aura	payé
ns	paierons	ns	aurons	payé
vs	paierez	vs	aurez	payé
ils	paieront	ils	auront	payé

SUBJONCTIF

Présent			
que	je	paie	
que	tu	paies	
qu'	il	paie	
que	ns	payions	
que	vs	payiez	
qu'	ils	paient	
Imparfait			
que	je	payasse	
que	tu	payasses	
qu'	il	payât	
que	ns	payassions	
que	vs	payassiez	
qu'	ils	payassent	
Passé			
que	j'	aie	payé
que	tu	aies	payé
qu'	il	ait	payé
que	ns	ayons	payé
que	vs	ayez	payé
qu'	ils	aient	payé
Plus-que-parfait			
que	j'	eusse	payé
que	tu	eusses	payé
qu'	il	eût	payé
que	ns	eussions	payé
que	vs	eussiez	payé
qu'	ils	eussent	payé

CONDITIONNEL

Présent		Passé 1re forme			Passé 2e forme		
je	paierais	j'	aurais	payé	j'	eusse	payé
tu	paierais	tu	aurais	payé	tu	eusses	payé
il	paierait	il	aurait	payé	il	eût	payé
ns	paierions	ns	aurions	payé	ns	eussions	payé
vs	paieriez	vs	auriez	payé	vs	eussiez	payé
ils	paieraient	ils	auraient	payé	ils	eussent	payé

IMPÉRATIF

Présent			Passé		
paie	payons	payez	aie payé	ayons payé	ayez payé

INFINITIF

Présent	Passé
payer	avoir payé

PARTICIPE

Présent	Passé	Passé composé
payant	payé, e	ayant payé

ESSUYER

INDICATIF

Présent
j' essuie
tu essuies
il essuie
ns essuyons
vs essuyez
ils essuient

Imparfait
j' essuyais
tu essuyais
il essuyait
ns essuyions
vs essuyiez
ils essuyaient

Passé simple
j' essuyai
tu essuyas
il essuya
ns essuyâmes
vs essuyâtes
ils essuyèrent

Futur simple
j' essuierai
tu essuieras
il essuiera
ns essuierons
vs essuierez
ils essuieront

Passé composé
j' ai essuyé
tu as essuyé
il a essuyé
ns avons essuyé
vs avez essuyé
ils ont essuyé

Plus-que-parfait
j' avais essuyé
tu avais essuyé
il avait essuyé
ns avions essuyé
vs aviez essuyé
ils avaient essuyé

Passé antérieur
j' eus essuyé
tu eus essuyé
il eut essuyé
ns eûmes essuyé
vs eûtes essuyé
ils eurent essuyé

Futur antérieur
j' aurai essuyé
tu auras essuyé
il aura essuyé
ns aurons essuyé
vs aurez essuyé
ils auront essuyé

SUBJONCTIF

Présent
que j' essuie
que tu essuies
qu' il essuie
que ns essuyions
que vs essuyiez
qu' ils essuient

Imparfait
que j' essuyasse
que tu essuyasses
qu' il essuyât
que ns essuyassions
que vs essuyassiez
qu' ils essuyassent

Passé
que j' aie essuyé
que tu aies essuyé
qu' il ait essuyé
que ns ayons essuyé
que vs ayez essuyé
qu' ils aient essuyé

Plus-que-parfait
que j' eusse essuyé
que tu eusses essuyé
qu' il eût essuyé
que ns eussions essuyé
que vs eussiez essuyé
qu' ils eussent essuyé

CONDITIONNEL

Présent
j' essuierais
tu essuierais
il essuierait
ns essuierions
vs essuieriez
ils essuieraient

Passé 1re forme
j' aurais essuyé
tu aurais essuyé
il aurait essuyé
ns aurions essuyé
vs auriez essuyé
ils auraient essuyé

Passé 2e forme
j' eusse essuyé
tu eusses essuyé
il eût essuyé
ns eussions essuyé
vs eussiez essuyé
ils eussent essuyé

IMPÉRATIF

Présent
essuie essuyons essuyez

Passé
aie essuyé ayons essuyé ayez essuyé

INFINITIF

Présent
essuyer

Passé
avoir essuyé

PARTICIPE

Présent
essuyant

Passé
essuyé, e

Passé composé
ayant essuyé

EMPLOYER

INDICATIF

Présent

j'	emploie
tu	emploies
il	emploie
ns	employons
vs	employez
ils	emploient

Passé composé

j'	ai	employé
tu	as	employé
il	a	employé
ns	avons	employé
vs	avez	employé
ils	ont	employé

Imparfait

j'	employais
tu	employais
il	employait
ns	employions
vs	employiez
ils	employaient

Plus-que-parfait

j'	avais	employé
tu	avais	employé
il	avait	employé
ns	avions	employé
vs	aviez	employé
ils	avaient	employé

Passé simple

j'	employai
tu	employas
il	employa
ns	employâmes
vs	employâtes
ils	employèrent

Passé antérieur

j'	eus	employé
tu	eus	employé
il	eut	employé
ns	eûmes	employé
vs	eûtes	employé
ils	eurent	employé

Futur simple

j'	emploierai
tu	emploieras
il	emploiera
ns	emploierons
vs	emploierez
ils	emploieront

Futur antérieur

j'	aurai	employé
tu	auras	employé
il	aura	employé
ns	aurons	employé
vs	aurez	employé
ils	auront	employé

SUBJONCTIF

Présent

que	j'	emploie
que	tu	emploies
qu'	il	emploie
que	ns	employions
que	vs	employiez
qu'	ils	emploient

Imparfait

que	j'	employasse
que	tu	employasses
qu'	il	employât
que	ns	employassions
que	vs	employassiez
qu'	ils	employassent

Passé

que	j'	aie	employé
que	tu	aies	employé
qu'	il	ait	employé
que	ns	ayons	employé
que	vs	ayez	employé
qu'	ils	aient	employé

Plus-que-parfait

que	j'	eusse	employé
que	tu	eusses	employé
qu'	il	eût	employé
que	ns	eussions	employé
que	vs	eussiez	employé
qu'	ils	eussent	employé

CONDITIONNEL

Présent

j'	emploierais
tu	emploierais
il	emploierait
ns	emploierions
vs	emploieriez
ils	emploieraient

Passé 1re forme

j'	aurais	employé
tu	aurais	employé
il	aurait	employé
ns	aurions	employé
vs	auriez	employé
ils	auraient	employé

Passé 2e forme

j'	eusse	employé
tu	eusses	employé
il	eût	employé
ns	eussions	employé
vs	eussiez	employé
ils	eussent	employé

IMPÉRATIF

Présent

emploie — employons — employez

Passé

aie employé — ayons employé — ayez employé

INFINITIF

Présent

employer

Passé

avoir employé

PARTICIPE

Présent

employant

Passé

employé, e

Passé composé

ayant employé

ENVOYER

INDICATIF

Présent		Passé composé		
j'	envoie	j'	ai	envoyé
tu	envoies	tu	as	envoyé
il	envoie	il	a	envoyé
ns	envoyons	ns	avons	envoyé
vs	envoyez	vs	avez	envoyé
ils	envoient	ils	ont	envoyé
Imparfait		**Plus-que-parfait**		
j'	envoyais	j'	avais	envoyé
tu	envoyais	tu	avais	envoyé
il	envoyait	il	avait	envoyé
ns	envoyions	ns	avions	envoyé
vs	envoyiez	vs	aviez	envoyé
ils	envoyaient	ils	avaient	envoyé
Passé simple		**Passé antérieur**		
j'	envoyai	j'	eus	envoyé
tu	envoyas	tu	eus	envoyé
il	envoya	il	eut	envoyé
ns	envoyâmes	ns	eûmes	envoyé
vs	envoyâtes	vs	eûtes	envoyé
ils	envoyèrent	ils	eurent	envoyé
Futur simple		**Futur antérieur**		
j'	enverrai	j'	aurai	envoyé
tu	enverras	tu	auras	envoyé
il	enverra	il	aura	envoyé
ns	enverrons	ns	aurons	envoyé
vs	enverrez	vs	aurez	envoyé
ils	enverront	ils	auront	envoyé

SUBJONCTIF

Présent			
que	j'	envoie	
que	tu	envoies	
qu'	il	envoie	
que	ns	envoyions	
que	vs	envoyiez	
qu'	ils	envoient	
Imparfait			
que	j'	envoyasse	
que	tu	envoyasses	
qu'	il	envoyât	
que	ns	envoyassions	
que	vs	envoyassiez	
qu'	ils	envoyassent	
Passé			
que	j'	aie	envoyé
que	tu	aies	envoyé
qu'	il	ait	envoyé
que	ns	ayons	envoyé
que	vs	ayez	envoyé
qu'	ils	aient	envoyé
Plus-que-parfait			
que	j'	eusse	envoyé
que	tu	eusses	envoyé
qu'	il	eût	envoyé
que	ns	eussions	envoyé
que	vs	eussiez	envoyé
qu'	ils	eussent	envoyé

CONDITIONNEL

Présent		Passé 1re forme			Passé 2e forme		
j'	enverrais	j'	aurais	envoyé	j'	eusse	envoyé
tu	enverrais	tu	aurais	envoyé	tu	eusses	envoyé
il	enverrait	il	aurait	envoyé	il	eût	envoyé
ns	enverrions	ns	aurions	envoyé	ns	eussions	envoyé
vs	enverriez	vs	auriez	envoyé	vs	eussiez	envoyé
ils	enverraient	ils	auraient	envoyé	ils	eussent	envoyé

IMPÉRATIF

Présent			Passé		
envoie	envoyons	envoyez	aie envoyé	ayons envoyé	ayez envoyé

INFINITIF

Présent	Passé
envoyer	avoir envoyé

PARTICIPE

Présent	Passé	Passé composé
envoyant	envoyé, e	ayant envoyé

FINIR

INDICATIF

Présent	Passé composé
je finis	j' ai fini
tu finis	tu as fini
il finit	il a fini
ns finissons	ns avons fini
vs finissez	vs avez fini
ils finissent	ils ont fini
Imparfait	**Plus-que-parfait**
je finissais	j' avais fini
tu finissais	tu avais fini
il finissait	il avait fini
ns finissions	ns avions fini
vs finissiez	vs aviez fini
ils finissaient	ils avaient fini
Passé simple	**Passé antérieur**
je finis	j' eus fini
tu finis	tu eus fini
il finit	il eut fini
ns finîmes	ns eûmes fini
vs finîtes	vs eûtes fini
ils finirent	ils eurent fini
Futur simple	**Futur antérieur**
je finirai	j' aurai fini
tu finiras	tu auras fini
il finira	il aura fini
ns finirons	ns aurons fini
vs finirez	vs aurez fini
ils finiront	ils auront fini

SUBJONCTIF

Présent
que je finisse
que tu finisses
qu' il finisse
que ns finissions
que vs finissiez
qu' ils finissent
Imparfait
que je finisse
que tu finisses
qu' il finît
que ns finissions
que vs finissiez
qu' ils finissent
Passé
que j' aie fini
que tu aies fini
qu' il ait fini
que ns ayons fini
que vs ayez fini
qu' ils aient fini
Plus-que-parfait
que j' eusse fini
que tu eusses fini
qu' il eût fini
que ns eussions fini
que vs eussiez fini
qu' ils eussent fini

CONDITIONNEL

Présent	Passé 1re forme	Passé 2e forme
je finirais	j' aurais fini	j' eusse fini
tu finirais	tu aurais fini	tu eusses fini
il finirait	il aurait fini	il eût fini
ns finirions	ns aurions fini	ns eussions fini
vs finiriez	vs auriez fini	vs eussiez fini
ils finiraient	ils auraient fini	ils eussent fini

IMPÉRATIF

Présent			Passé		
finis	finissons	finissez	aie fini	ayons fini	ayez fini

INFINITIF

Présent	Passé
finir	avoir fini

PARTICIPE

Présent	Passé	Passé composé
finissant	fini, e	ayant fini

HAÏR

INDICATIF

Présent	Passé composé
je hais	j' ai haï
tu hais	tu as haï
il hait	il a haï
ns haïssons	ns avons haï
vs haïssez	vs avez haï
ils haïssent	ils ont haï
Imparfait	**Plus-que-parfait**
je haïssais	j' avais haï
tu haïssais	tu avais haï
il haïssait	il avait haï
ns haïssions	ns avions haï
vs haïssiez	vs aviez haï
ils haïssaient	ils avaient haï
Passé simple	**Passé antérieur**
je haïs	j' eus haï
tu haïs	tu eus haï
il haït	il eut haï
ns haïmes	ns eûmes haï
vs haïtes	vs eûtes haï
ils haïrent	ils eurent haï
Futur simple	**Futur antérieur**
je haïrai	j' aurai haï
tu haïras	tu auras haï
il haïra	il aura haï
ns haïrons	ns aurons haï
vs haïrez	vs aurez haï
ils haïront	ils auront haï

SUBJONCTIF

Présent	Imparfait
que je haïsse	que je haïsse
que tu haïsses	que tu haïsses
qu' il haïsse	qu' il haït
que ns haïssions	que ns haïssions
que vs haïssiez	que vs haïssiez
qu' ils haïssent	qu' ils haïssent
Passé	**Plus-que-parfait**
que j' aie haï	que j' eusse haï
que tu aies haï	que tu eusses haï
qu' il ait haï	qu' il eût haï
que ns ayons haï	que ns eussions haï
que vs ayez haï	que vs eussiez haï
qu' ils aient haï	qu' ils eussent haï

CONDITIONNEL

Présent	Passé 1re forme	Passé 2e forme
je haïrais	j' aurais haï	j' eusse haï
tu haïrais	tu aurais haï	tu eusses haï
il haïrait	il aurait haï	il eût haï
ns haïrions	ns aurions haï	ns eussions haï
vs haïriez	vs auriez haï	vs eussiez haï
ils haïraient	ils auraient haï	ils eussent haï

IMPÉRATIF

Présent			Passé		
hais	haïssons	haïssez	aie haï	ayons haï	ayez haï

INFINITIF

Présent	Passé
haïr	avoir haï

PARTICIPE

Présent	Passé	Passé composé
haïssant	haï, haïe	ayant haï

DORMIR

INDICATIF

Présent	Passé composé
je **dors**	j' ai dormi
tu **dors**	tu as dormi
il **dort**	il a dormi
ns dormons	ns avons dormi
vs dormez	vs avez dormi
ils dorment	ils ont dormi
Imparfait	**Plus-que-parfait**
je dormais	j' avais dormi
tu dormais	tu avais dormi
il dormait	il avait dormi
ns dormions	ns avions dormi
vs dormiez	vs aviez dormi
ils dormaient	ils avaient dormi
Passé simple	**Passé antérieur**
je dormis	j' eus dormi
tu dormis	tu eus dormi
il dormit	il eut dormi
ns dormîmes	ns eûmes dormi
vs dormîtes	vs eûtes dormi
ils dormirent	ils eurent dormi
Futur simple	**Futur antérieur**
je dormirai	j' aurai dormi
tu dormiras	tu auras dormi
il dormira	il aura dormi
ns dormirons	ns aurons dormi
vs dormirez	vs aurez dormi
ils dormiront	ils auront dormi

SUBJONCTIF

Présent	Imparfait
que je dorme	que je dormisse
que tu dormes	que tu dormisses
qu' il dorme	qu' il dormît
que ns dormions	que ns dormissions
que vs dormiez	que vs dormissiez
qu' ils dorment	qu' ils dormissent
Passé	**Plus-que-parfait**
que j' aie dormi	que j' eusse dormi
que tu aies dormi	que tu eusses dormi
qu' il ait dormi	qu' il eût dormi
que ns ayons dormi	que ns eussions dormi
que vs ayez dormi	que vs eussiez dormi
qu' ils aient dormi	qu' ils eussent dormi

CONDITIONNEL

Présent	Passé 1re forme	Passé 2e forme
je dormirais	j' aurais dormi	j' eusse dormi
tu dormirais	tu aurais dormi	tu eusses dormi
il dormirait	il aurait dormi	il eût dormi
ns dormirions	ns aurions dormi	ns eussions dormi
vs dormiriez	vs auriez dormi	vs eussiez dormi
ils dormiraient	ils auraient dormi	ils eussent dormi

IMPÉRATIF

Présent			Passé		
dors	dormons	dormez	aie dormi	ayons dormi	ayez dormi

INFINITIF

Présent	Passé
dormir	avoir dormi

PARTICIPE

Présent	Passé	Passé composé
dormant	dormi	ayant dormi

23 VÊTIR 3e groupe

INDICATIF

Présent	Passé composé
je vêts	j' ai vêtu
tu vêts	tu as vêtu
il vêt	il a vêtu
ns vêtons	ns avons vêtu
vs vêtez	vs avez vêtu
ils vêtent	ils ont vêtu

Imparfait	Plus-que-parfait
je vêtais	j' avais vêtu
tu vêtais	tu avais vêtu
il vêtait	il avait vêtu
ns vêtions	ns avions vêtu
vs vêtiez	vs aviez vêtu
ils vêtaient	ils avaient vêtu

Passé simple	Passé antérieur
je vêtis	j' eus vêtu
tu vêtis	tu eus vêtu
il vêtit	il eut vêtu
ns vêtîmes	ns eûmes vêtu
vs vêtîtes	vs eûtes vêtu
ils vêtirent	ils eurent vêtu

Futur simple	Futur antérieur
je vêtirai	j' aurai vêtu
tu vêtiras	tu auras vêtu
il vêtira	il aura vêtu
ns vêtirons	ns aurons vêtu
vs vêtirez	vs aurez vêtu
ils vêtiront	ils auront vêtu

SUBJONCTIF

Présent	Imparfait
que je vête	que je vêtisse
que tu vêtes	que tu vêtisses
qu' il vête	qu' il vêtît
que ns vêtions	que ns vêtissions
que vs vêtiez	que vs vêtissiez
qu' ils vêtent	qu' ils vêtissent

Passé	Plus-que-parfait
que j' aie vêtu	que j' eusse vêtu
que tu aies vêtu	que tu eusses vêtu
qu' il ait vêtu	qu' il eût vêtu
que ns ayons vêtu	que ns eussions vêtu
que vs ayez vêtu	que vs eussiez vêtu
qu' ils aient vêtu	qu' ils eussent vêtu

CONDITIONNEL

Présent	Passé 1re forme	Passé 2e forme
je vêtirais	j' aurais vêtu	j' eusse vêtu
tu vêtirais	tu aurais vêtu	tu eusses vêtu
il vêtirait	il aurait vêtu	il eût vêtu
ns vêtirions	ns aurions vêtu	ns eussions vêtu
vs vêtiriez	vs auriez vêtu	vs eussiez vêtu
ils vêtiraient	ils auraient vêtu	ils eussent vêtu

IMPÉRATIF

Présent			Passé		
vêts	vêtons	vêtez	aie vêtu	ayons vêtu	ayez vêtu

INFINITIF

Présent	Passé
vêtir	avoir vêtu

PARTICIPE

Présent	Passé	Passé composé
vêtant	vêtu, e	ayant vêtu

BOUILLIR

INDICATIF

Présent	Passé composé
je **bous**	j' ai bouilli
tu **bous**	tu as bouilli
il **bout**	il a bouilli
ns bouillons	ns avons bouilli
vs bouillez	vs avez bouilli
ils bouillent	ils ont bouilli

Imparfait	Plus-que-parfait
je bouillais	j' avais bouilli
tu bouillais	tu avais bouilli
il bouillait	il avait bouilli
ns bouillions	ns avions bouilli
vs bouilliez	vs aviez bouilli
ils bouillaient	ils avaient bouilli

Passé simple	Passé antérieur
je bouillis	j' eus bouilli
tu bouillis	tu eus bouilli
il bouillit	il eut bouilli
ns bouillîmes	ns eûmes bouilli
vs bouillîtes	vs eûtes bouilli
ils bouillirent	ils eurent bouilli

Futur simple	Futur antérieur
je bouillirai	j' aurai bouilli
tu bouilliras	tu auras bouilli
il bouillira	il aura bouilli
ns bouillirons	ns aurons bouilli
vs bouillirez	vs aurez bouilli
ils bouilliront	ils auront bouilli

SUBJONCTIF

Présent	Imparfait
que je bouille	que je bouillisse
que tu bouilles	que tu bouillisses
qu' il bouille	qu' il bouillît
que ns bouillions	que ns bouillissions
que vs bouilliez	que vs bouillissiez
qu' ils bouillent	qu' ils bouillissent

Passé	Plus-que-parfait
que j' aie bouilli	que j' eusse bouilli
que tu aies bouilli	que tu eusses bouilli
qu' il ait bouilli	qu' il eût bouilli
que ns ayons bouilli	que ns eussions bouilli
que vs ayez bouilli	que vs eussiez bouilli
qu' ils aient bouilli	qu' ils eussent bouilli

CONDITIONNEL

Présent	Passé 1re forme	Passé 2e forme
je bouillirais	j' aurais bouilli	j' eusse bouilli
tu bouillirais	tu aurais bouilli	tu eusses bouilli
il bouillirait	il aurait bouilli	il eût bouilli
ns bouillirions	ns aurions bouilli	ns eussions bouilli
vs bouilliriez	vs auriez bouilli	vs eussiez bouilli
ils bouilliraient	ils auraient bouilli	ils eussent bouilli

IMPÉRATIF

Présent			Passé		
bous	bouillons	bouillez	aie bouilli	ayons bouilli	ayez bouilli

INFINITIF

Présent	Passé
bouillir	avoir bouilli

PARTICIPE

Présent	Passé	Passé composé
bouillant	bouilli, e	ayant bouilli

25 COURIR 3e groupe

INDICATIF

Présent		Passé composé		
je	cours	j'	ai	couru
tu	cours	tu	as	couru
il	court	il	a	couru
ns	courons	ns	avons	couru
vs	courez	vs	avez	couru
ils	courent	ils	ont	couru

Imparfait		Plus-que-parfait		
je	courais	j'	avais	couru
tu	courais	tu	avais	couru
il	courait	il	avait	couru
ns	courions	ns	avions	couru
vs	couriez	vs	aviez	couru
ils	couraient	ils	avaient	couru

Passé simple		Passé antérieur		
je	courus	j'	eus	couru
tu	courus	tu	eus	couru
il	courut	il	eut	couru
ns	courûmes	ns	eûmes	couru
vs	courûtes	vs	eûtes	couru
ils	coururent	ils	eurent	couru

Futur simple		Futur antérieur		
je	**courrai**	j'	aurai	couru
tu	**courras**	tu	auras	couru
il	**courra**	il	aura	couru
ns	**courrons**	ns	aurons	couru
vs	**courrez**	vs	aurez	couru
ils	**courront**	ils	auront	couru

SUBJONCTIF

Présent

que je coure
que tu coures
qu' il coure
que ns courions
que vs couriez
qu' ils courent

Imparfait

que je courusse
que tu courusses
qu' il courût
que ns courussions
que vs courussiez
qu' ils courussent

Passé

que j' aie couru
que tu aies couru
qu' il ait couru
que ns ayons couru
que vs ayez couru
qu' ils aient couru

Plus-que-parfait

que j' eusse couru
que tu eusses couru
qu' il eût couru
que ns eussions couru
que vs eussiez couru
qu' ils eussent couru

CONDITIONNEL

Présent		Passé 1re forme			Passé 2e forme		
je	**courrais**	j'	aurais	couru	j'	eusse	couru
tu	**courrais**	tu	aurais	couru	tu	eusses	couru
il	**courrait**	il	aurait	couru	il	eût	couru
ns	**courrions**	ns	aurions	couru	ns	eussions	couru
vs	**courriez**	vs	auriez	couru	vs	eussiez	couru
ils	**courraient**	ils	auraient	couru	ils	eussent	couru

IMPÉRATIF

Présent

cours courons courez

Passé

aie couru ayons couru ayez couru

INFINITIF

Présent

courir

Passé

avoir couru

PARTICIPE

Présent

courant

Passé

couru, e

Passé composé

ayant couru

MOURIR

INDICATIF

Présent	Passé composé
je meurs	je suis mort
tu meurs	tu es mort
il meurt	il est mort
ns mourons	ns sommes morts
vs mourez	vs êtes morts
ils meurent	ils sont morts
Imparfait	**Plus-que-parfait**
je mourais	j étais mort
tu mourais	tu étais mort
il mourait	il était mort
ns mourions	ns étions morts
vs mouriez	vs étiez morts
ils mouraient	ils étaient morts
Passé simple	**Passé antérieur**
je mourus	je fus mort
tu mourus	tu fus mort
il mourut	il fut mort
ns mourûmes	ns fûmes morts
vs mourûtes	vs fûtes morts
ils moururent	ils furent morts
Futur simple	**Futur antérieur**
je **mourrai**	je serai mort
tu **mourras**	tu seras mort
il **mourra**	il sera mort
ns **mourrons**	ns serons morts
vs **mourrez**	vs serez morts
ils **mourront**	ils seront morts

SUBJONCTIF

Présent	Imparfait
que je meure	que je mourusse
que tu meures	que tu mourusses
qu il meure	qu il mourût
que ns mourions	que ns mourussions
que vs mouriez	que vs mourussiez
qu ils meurent	qu ils mourussent
Passé	**Plus-que-parfait**
que je sois mort	que je fusse mort
que tu sois mort	que tu fusses mort
qu il soit mort	qu il fût mort
que ns soyons morts	que ns fussions morts
que vs soyez morts	que vs fussiez morts
qu ils soient morts	qu ils fussent morts

CONDITIONNEL

Présent	Passé 1re forme	Passé 2e forme
je **mourrais**	je serais mort	je fusse mort
tu **mourrais**	tu serais mort	tu fusses mort
il **mourrait**	il serait mort	il fût mort
ns **mourrions**	ns serions morts	ns fussions morts
vs **mourriez**	vs seriez morts	vs fussiez morts
ils **mourraient**	ils seraient morts	ils fussent morts

IMPÉRATIF

Présent			Passé		
meurs	mourons	mourez	sois mort	soyons morts	soyez morts

INFINITIF

Présent	Passé
mourir	être mort

PARTICIPE

Présent	Passé	Passé composé
mourant	mort, te	étant mort

27 VENIR 3e groupe

INDICATIF

Présent

je	viens
tu	viens
il	vient
ns	venons
vs	venez
ils	viennent

Passé composé

je	suis	venu
tu	es	venu
il	est	venu
ns	sommes	venus
vs	êtes	venus
ils	sont	venus

Imparfait

je	venais
tu	venais
il	venait
ns	venions
vs	veniez
ils	venaient

Plus-que-parfait

j'	étais	venu
tu	étais	venu
il	était	venu
ns	étions	venus
vs	étiez	venus
ils	étaient	venus

Passé simple

je	vins
tu	vins
il	vint
ns	vînmes
vs	vîntes
ils	vinrent

Passé antérieur

je	fus	venu
tu	fus	venu
il	fut	venu
ns	fûmes	venus
vs	fûtes	venus
ils	furent	venus

Futur simple

je	viendrai
tu	viendras
il	viendra
ns	viendrons
vs	viendrez
ils	viendront

Futur antérieur

je	serai	venu
tu	seras	venu
il	sera	venu
ns	serons	venus
vs	serez	venus
ils	seront	venus

SUBJONCTIF

Présent

que	je	vienne
que	tu	viennes
qu'	il	vienne
que	ns	venions
que	vs	veniez
qu'	ils	viennent

Imparfait

que	je	vinsse
que	tu	vinsses
qu'	il	vînt
que	ns	vinssions
que	vs	vinssiez
qu'	ils	vinssent

Passé

que	je	sois	venu
que	tu	sois	venu
qu'	il	soit	venu
que	ns	soyons	venus
que	vs	soyez	venus
qu'	ils	soient	venus

Plus-que-parfait

que	je	fusse	venu
que	tu	fusses	venu
qu'	il	fût	venu
que	ns	fussions	venus
que	vs	fussiez	venus
qu'	ils	fussent	venus

CONDITIONNEL

Présent

je	viendrais
tu	viendrais
il	viendrait
ns	viendrions
vs	viendriez
ils	viendraient

Passé 1re forme

je	serais	venu
tu	serais	venu
il	serait	venu
ns	serions	venus
vs	seriez	venus
ils	seraient	venus

Passé 2e forme

je	fusse	venu
tu	fusses	venu
il	fût	venu
ns	fussions	venus
vs	fussiez	venus
ils	fussent	venus

IMPÉRATIF

Présent

viens venons venez

Passé

sois venu soyons venus soyez venus

INFINITIF

Présent

venir

Passé

être venu

PARTICIPE

Présent

venant

Passé

venu, e

Passé composé

étant venu

3e groupe

ACQUÉRIR

28

INDICATIF

Présent	Passé composé	
j' acquiers	j' ai	acquis
tu acquiers	tu as	acquis
il acquiert	il a	acquis
ns acquérons	ns avons	acquis
vs acquérez	vs avez	acquis
ils acquièrent	ils ont	acquis
Imparfait	**Plus-que-parfait**	
j' acquérais	j' avais	acquis
tu acquérais	tu avais	acquis
il acquérait	il avait	acquis
ns acquérions	ns avions	acquis
vs acquériez	vs aviez	acquis
ils acquéraient	ils avaient	acquis
Passé simple	**Passé antérieur**	
j' acquis	j' eus	acquis
tu acquis	tu eus	acquis
il acquit	il eut	acquis
ns acquîmes	ns eûmes	acquis
vs acquîtes	vs eûtes	acquis
ils acquirent	ils eurent	acquis
Futur simple	**Futur antérieur**	
j' acquerrai	j' aurai	acquis
tu acquerras	tu auras	acquis
il acquerra	il aura	acquis
ns acquerrons	ns aurons	acquis
vs acquerrez	vs aurez	acquis
ils acquerront	ils auront	acquis

SUBJONCTIF

Présent	
que j' acquière	
que tu acquières	
qu' il acquière	
que ns acquérions	
que vs acquériez	
qu' ils acquièrent	
Imparfait	
que j' acquisse	
que tu acquisses	
qu' il acquît	
que ns acquissions	
que vs acquissiez	
qu' ils acquissent	
Passé	
que j' aie	acquis
que tu aies	acquis
qu' il ait	acquis
que ns ayons	acquis
que vs ayez	acquis
qu' ils aient	acquis
Plus-que-parfait	
que j' eusse	acquis
que tu eusses	acquis
qu' il eût	acquis
que ns eussions	acquis
que vs eussiez	acquis
qu' ils eussent	acquis

CONDITIONNEL

Présent	Passé 1re forme		Passé 2e forme	
j' acquerrais	j' aurais	acquis	j' eusse	acquis
tu acquerrais	tu aurais	acquis	tu eusses	acquis
il acquerrait	il aurait	acquis	il eût	acquis
ns acquerrions	ns aurions	acquis	ns eussions	acquis
vs acquerriez	vs auriez	acquis	vs eussiez	acquis
ils acquerraient	ils auraient	acquis	ils eussent	acquis

IMPÉRATIF

Présent			Passé		
acquiers	acquérons	acquérez	aie acquis	ayons acquis	ayez acquis

INFINITIF

Présent	Passé
acquérir	avoir acquis

PARTICIPE

Présent	Passé	Passé composé
acquérant	acquis, se	ayant acquis

29 OFFRIR 3e groupe

INDICATIF

Présent	Passé composé
j' offre	j' ai offert
tu offres	tu as offert
il offre	il a offert
ns offrons	ns avons offert
vs offrez	vs avez offert
ils offrent	ils ont offert

Imparfait	Plus-que-parfait
j' offrais	j' avais offert
tu offrais	tu avais offert
il offrait	il avait offert
ns offrions	ns avions offert
vs offriez	vs aviez offert
ils offraient	ils avaient offert

Passé simple	Passé antérieur
j' offris	j' eus offert
tu offris	tu eus offert
il offrit	il eut offert
ns offrîmes	ns eûmes offert
vs offrîtes	vs eûtes offert
ils offrirent	ils eurent offert

Futur simple	Futur antérieur
j' offrirai	j' aurai offert
tu offriras	tu auras offert
il offrira	il aura offert
ns offrirons	ns aurons offert
vs offrirez	vs aurez offert
ils offriront	ils auront offert

SUBJONCTIF

Présent	Imparfait
que j' offre	que j' offrisse
que tu offres	que tu offrisses
qu' il offre	qu' il offrît
que ns offrions	que ns offrissions
que vs offriez	que vs offrissiez
qu' ils offrent	qu' ils offrissent

Passé	Plus-que-parfait
que j' aie offert	que j' eusse offert
que tu aies offert	que tu eusses offert
qu' il ait offert	qu' il eût offert
que ns ayons offert	que ns eussions offert
que vs ayez offert	que vs eussiez offert
qu' ils aient offert	qu' ils eussent offert

CONDITIONNEL

Présent	Passé 1re forme	Passé 2e forme
j' offrirais	j' aurais offert	j' eusse offert
tu offrirais	tu aurais offert	tu eusses offert
il offrirait	il aurait offert	il eût offert
ns offririons	ns aurions offert	ns eussions offert
vs offririez	vs auriez offert	vs eussiez offert
ils offriraient	ils auraient offert	ils eussent offert

IMPÉRATIF

Présent			Passé		
offre	offrons	offrez	aie offert	ayons offert	ayez offert

INFINITIF

Présent	Passé
offrir	avoir offert

PARTICIPE

Présent	Passé	Passé composé
offrant	offert, te	ayant offert

CUEILLIR

INDICATIF

Présent	Passé composé
je cueille	j' ai cueilli
tu cueilles	tu as cueilli
il cueille	il a cueilli
ns cueillons	ns avons cueilli
vs cueillez	vs avez cueilli
ils cueillent	ils ont cueilli

Imparfait	Plus-que-parfait
je cueillais	j' avais cueilli
tu cueillais	tu avais cueilli
il cueillait	il avait cueilli
ns cueillions	ns avions cueilli
vs cueilliez	vs aviez cueilli
ils cueillaient	ils avaient cueilli

Passé simple	Passé antérieur
je cueillis	j' eus cueilli
tu cueillis	tu eus cueilli
il cueillit	il eut cueilli
ns cueillîmes	ns eûmes cueilli
vs cueillîtes	vs eûtes cueilli
ils cueillirent	ils eurent cueilli

Futur simple	Futur antérieur
je cueillerai	j' aurai cueilli
tu cueilleras	tu auras cueilli
il cueillera	il aura cueilli
ns cueillerons	ns aurons cueilli
vs cueillerez	vs aurez cueilli
ils cueilleront	ils auront cueilli

SUBJONCTIF

Présent	Imparfait
que je cueille	que je cueillisse
que tu cueilles	que tu cueillisses
qu' il cueille	qu' il cueillît
que ns cueillions	que ns cueillissions
que vs cueilliez	que vs cueillissiez
qu' ils cueillent	qu' ils cueillissent

Passé	Plus-que-parfait
que j' aie cueilli	que j' eusse cueilli
que tu aies cueilli	que tu eusses cueilli
qu' il ait cueilli	qu' il eût cueilli
que ns ayons cueilli	que ns eussions cueilli
que vs ayez cueilli	que vs eussiez cueilli
qu' ils aient cueilli	qu' ils eussent cueilli

CONDITIONNEL

Présent	Passé 1re forme	Passé 2e forme
je cueillerais	j' aurais cueilli	j' eusse cueilli
tu cueillerais	tu aurais cueilli	tu eusses cueilli
il cueillerait	il aurait cueilli	il eût cueilli
ns cueillerions	ns aurions cueilli	ns eussions cueilli
vs cueilleriez	vs auriez cueilli	vs eussiez cueilli
ils cueilleraient	ils auraient cueilli	ils eussent cueilli

IMPÉRATIF

Présent
cueille cueillons cueillez

Passé
aie cueilli ayons cueilli ayez cueilli

INFINITIF

Présent
cueillir

Passé
avoir cueilli

PARTICIPE

Présent
cueillant

Passé
cueilli, e

Passé composé
ayant cueilli

31 ASSAILLIR 3e groupe

INDICATIF

Présent		Passé composé		
j'	assaille	j'	ai	assailli
tu	assailles	tu	as	assailli
il	assaille	il	a	assailli
ns	assaillons	ns	avons	assailli
vs	assaillez	vs	avez	assailli
ils	assaillent	ils	ont	assailli

Imparfait		Plus-que-parfait		
j'	assaillais	j'	avais	assailli
tu	assaillais	tu	avais	assailli
il	assaillait	il	avait	assailli
ns	assaillions	ns	avions	assailli
vs	assailliez	vs	aviez	assailli
ils	assaillaient	ils	avaient	assailli

Passé simple		Passé antérieur		
j'	assaillis	j'	eus	assailli
tu	assaillis	tu	eus	assailli
il	assaillit	il	eut	assailli
ns	assaillîmes	ns	eûmes	assailli
vs	assaillîtes	vs	eûtes	assailli
ils	assaillirent	ils	eurent	assailli

Futur simple		Futur antérieur		
j'	assaillirai	j'	aurai	assailli
tu	assailliras	tu	auras	assailli
il	assaillira	il	aura	assailli
ns	assaillirons	ns	aurons	assailli
vs	assaillirez	vs	aurez	assailli
ils	assailliront	ils	auront	assailli

SUBJONCTIF

Présent

que	j'	assaille
que	tu	assailles
qu'	il	assaille
que	ns	assaillions
que	vs	assailliez
qu'	ils	assaillent

Imparfait

que	j'	assaillisse
que	tu	assaillisses
qu'	il	assaillît
que	ns	assaillissions
que	vs	assaillissiez
qu'	ils	assaillissent

Passé

que	j'	aie	assailli
que	tu	aies	assailli
qu'	il	ait	assailli
que	ns	ayons	assailli
que	vs	ayez	assailli
qu'	ils	aient	assailli

Plus-que-parfait

que	j'	eusse	assailli
que	tu	eusses	assailli
qu'	il	eût	assailli
que	ns	eussions	assailli
que	vs	eussiez	assailli
qu'	ils	eussent	assailli

CONDITIONNEL

Présent		Passé 1re forme			Passé 2e forme		
j'	assaillirais	j'	aurais	assailli	j'	eusse	assailli
tu	assaillirais	tu	aurais	assailli	tu	eusses	assailli
il	assaillirait	il	aurait	assailli	il	eût	assailli
ns	assaillirions	ns	aurions	assailli	ns	eussions	assailli
vs	assailliriez	vs	auriez	assailli	vs	eussiez	assailli
ils	assailliraient	ils	auraient	assailli	ils	eussent	assailli

IMPÉRATIF

Présent
assaille assaillons assaillez

Passé
aie assailli ayons assailli ayez assailli

INFINITIF

Présent
assaillir

Passé
avoir assailli

PARTICIPE

Présent
assaillant

Passé
assailli, e

Passé composé
ayant assailli

FAILLIR

INDICATIF

Présent	Passé composé
je faillis	j' ai failli
tu faillis	tu as failli
il faillit	il a failli
ns faillissons	ns avons failli
vs faillissez	vs avez failli
ils faillissent	ils ont failli
Imparfait	**Plus-que-parfait**
je faillissais	j' avais failli
tu faillissais	tu avais failli
il faillissait	il avait failli
ns faillissions	ns avions failli
vs faillissiez	vs aviez failli
ils faillissaient	ils avaient failli
Passé simple	**Passé antérieur**
je faillis	j' eus failli
tu faillis	tu eus failli
il faillit	il eut failli
ns faillîmes	ns eûmes failli
vs faillîtes	vs eûtes failli
ils faillirent	ils eurent failli
Futur simple	**Futur antérieur**
je faillirai	j' aurai failli
tu failliras	tu auras failli
il faillira	il aura failli
ns faillirons	ns aurons failli
vs faillirez	vs aurez failli
ils failliront	ils auront failli

SUBJONCTIF

Présent	Imparfait
que je faillisse	que je faillisse
que tu faillisses	que tu faillisses
qu' il faillisse	qu' il faillît
que ns faillissions	que ns faillissions
que vs faillissiez	que vs faillissiez
qu' ils faillissent	qu' ils faillissent
Passé	**Plus-que-parfait**
que j' aie failli	que j' eusse failli
que tu aies failli	que tu eusses failli
qu' il ait failli	qu' il eût failli
que ns ayons failli	que ns eussions failli
que vs ayez failli	que vs eussiez failli
qu' ils aient failli	qu' ils eussent failli

CONDITIONNEL

Présent	Passé 1re forme	Passé 2e forme
je faillirais	j' aurais failli	j' eusse failli
tu faillirais	tu aurais failli	tu eusses failli
il faillirait	il aurait failli	il eût failli
ns faillirions	ns aurions failli	ns eussions failli
vs failliriez	vs auriez failli	vs eussiez failli
ils failliraient	ils auraient failli	ils eussent failli

IMPÉRATIF

Présent			Passé		
faillis	faillissons	faillissez	aie failli	ayons failli	ayez failli

INFINITIF

Présent	Passé
faillir	avoir failli

PARTICIPE

Présent	Passé	Passé composé
faillissant	failli	ayant failli

FUIR

INDICATIF

Présent	Passé composé
je fuis	j' ai fui
tu fuis	tu as fui
il fuit	il a fui
ns fuyons	ns avons fui
vs fuyez	vs avez fui
ils fuient	ils ont fui

Imparfait	Plus-que-parfait
je fuyais	j' avais fui
tu fuyais	tu avais fui
il fuyait	il avait fui
ns fuyions	ns avions fui
vs fuyiez	vs aviez fui
ils fuyaient	ils avaient fui

Passé simple	Passé antérieur
je fuis	j' eus fui
tu fuis	tu eus fui
il fuit	il eut fui
ns fuîmes	ns eûmes fui
vs fuîtes	vs eûtes fui
ils fuirent	ils eurent fui

Futur simple	Futur antérieur
je fuirai	j' aurai fui
tu fuiras	tu auras fui
il fulra	il aura fui
ns fuirons	ns aurons fui
vs fuirez	vs aurez fui
ils fuiront	ils auront fui

SUBJONCTIF

Présent	Imparfait
que je fuie	que je fuisse
que tu fuies	que tu fuisses
qu' il fuie	qu' il fuît
que ns fuyions	que ns fuissions
que vs fuyiez	que vs fuissiez
qu' ils fuient	qu' ils fuissent

Passé	Plus-que-parfait
que j' aie fui	que j' eusse fui
que tu aies fui	que tu eusses fui
qu' il ait fui	qu' il cût fui
que ns ayons fui	que ns eussions fui
que vs ayez fui	que vs eussiez fui
qu' ils aient fui	qu' ils eussent fui

CONDITIONNEL

Présent	Passé 1re forme	Passé 2e forme
je fuirais	j' aurais fui	j' eusse fui
tu fuirais	tu aurais fui	tu eusses fui
il fuirait	il aurait fui	il eût fui
ns fuirions	ns aurions fui	ns eussions fui
vs fuiriez	vs auriez fui	vs eussiez fui
ils fuiraient	ils auraient fui	ils eussent fui

IMPÉRATIF

Présent			Passé		
fuis	fuyons	fuyez	aie fui	ayons fui	ayez fui

INFINITIF

Présent	Passé
fuir	avoir fui

PARTICIPE

Présent	Passé	Passé composé
fuyant	fui, e	ayant fui

GÉSIR

INDICATIF

Présent
je gis
tu gis
il gît
ns gisons
vs gisez
ils gisent

Passé composé
inusité

Imparfait
je gisais
tu gisais
il gisait
ns gisions
vs gisiez
ils gisaient

Plus-que-parfait
inusité

Passé simple
inusité

Passé antérieur
inusité

Futur simple
inusité

Futur antérieur
inusité

SUBJONCTIF

inusité

CONDITIONNEL

inusité

IMPÉRATIF

inusité

INFINITIF

Présent
gésir

Passé
inusité

PARTICIPE

Présent
gisant

Passé
inusité

Passé composé
inusité

OUÏR

INDICATIF

Présent	Passé composé
j' ois	j' ai ouï
tu ois	tu as ouï
il oit	il a ouï
ns oyons	ns avons ouï
vs oyez	vs avez ouï
ils oient	ils ont ouï

Imparfait	Plus-que-parfait
j' oyais	j' avais ouï
tu oyais	tu avais ouï
il oyait	il avait ouï
ns oyions	ns avions ouï
vs oyiez	vs aviez ouï
ils oyaient	ils avaient ouï

Passé simple	Passé antérieur
j' ouïs	j' eus ouï
tu ouïs	tu eus ouï
il ouït	il eut ouï
ns ouïmes	ns eûmes ouï
vs ouïtes	vs eûtes ouï
ils ouïrent	ils eurent ouï

Futur simple	Futur antérieur
j' ouïrai	j' aurai ouï
tu ouïras	tu auras ouï
il ouïra	il aura ouï
ns ouïrons	ns aurons ouï
vs ouïrez	vs aurez ouï
ils ouïront	ils auront ouï

SUBJONCTIF

Présent	Imparfait
que j' oie	que j' ouïsse
que tu oies	que tu ouïsses
qu' il oie	qu' il ouït
que ns oyions	que ns ouïssions
que vs oyiez	que vs ouïssiez
qu' ils oient	qu' ils ouïssent

Passé	Plus-que-parfait
que j' aie ouï	que j' eusse ouï
que tu aies ouï	que tu eusses ouï
qu' il ait ouï	qu' il eût ouï
que ns ayons ouï	que ns eussions ouï
que vs ayez ouï	que vs eussiez ouï
qu' ils aient ouï	qu' ils eussent ouï

CONDITIONNEL

Présent	Passé 1re forme	Passé 2e forme
j' ouïrais	j' aurais ouï	j' eusse ouï
tu ouïrais	tu aurais ouï	tu eusses ouï
il ouïrait	il aurait ouï	il eût ouï
ns ouïrions	ns aurions ouï	ns eussions ouï
vs ouïriez	vs auriez ouï	vs eussiez ouï
ils ouïraient	ils auraient ouï	ils eussent ouï

IMPÉRATIF

Présent			Passé		
ois	oyons	oyez	aie ouï	ayons ouï	ayez ouï

INFINITIF

Présent	Passé
ouïr	avoir ouï

PARTICIPE

Présent	Passé	Passé composé
oyant	ouï, ouïe	ayant ouï

RECEVOIR

INDICATIF

Présent	Passé composé
je reçois	j' ai reçu
tu reçois	tu as reçu
il reçoit	il a reçu
ns recevons	ns avons reçu
vs recevez	vs avez reçu
ils reçoivent	ils ont reçu
Imparfait	**Plus-que-parfait**
je recevais	j' avais reçu
tu recevais	tu avais reçu
il recevait	il avait reçu
ns recevions	ns avions reçu
vs receviez	vs aviez reçu
ils recevaient	ils avaient reçu
Passé simple	**Passé antérieur**
je reçus	j' eus reçu
tu reçus	tu eus reçu
il reçut	il eut reçu
ns reçûmes	ns eûmes reçu
vs reçûtes	vs eûtes reçu
ils reçurent	ils eurent reçu
Futur simple	**Futur antérieur**
je recevrai	j' aurai reçu
tu recevras	tu auras reçu
il recevra	il aura reçu
ns recevrons	ns aurons reçu
vs recevrez	vs aurez reçu
ils recevront	ils auront reçu

SUBJONCTIF

Présent	Imparfait
que je reçoive	que je reçusse
que tu reçoives	que tu reçusses
qu' il reçoive	qu' il reçût
que ns recevions	que ns reçussions
que vs receviez	que vs reçussiez
qu' ils reçoivent	qu' ils reçussent
Passé	**Plus-que-parfait**
que j' aie reçu	que j' eusse reçu
que tu aies reçu	que tu eusses reçu
qu' il ait reçu	qu' il eût reçu
que ns ayons reçu	que ns eussions reçu
que vs ayez reçu	que vs eussiez reçu
qu' ils aient reçu	qu' ils eussent reçu

CONDITIONNEL

Présent	Passé 1re forme	Passé 2e forme
je recevrais	j' aurais reçu	j' eusse reçu
tu recevrais	tu aurais reçu	tu eusses reçu
il recevrait	il aurait reçu	il eût reçu
ns recevrions	ns aurions reçu	ns eussions reçu
vs recevriez	vs auriez reçu	vs eussiez reçu
ils recevraient	ils auraient reçu	ils eussent reçu

IMPÉRATIF

Présent			Passé		
reçois	recevons	recevez	aie reçu	ayons reçu	ayez reçu

INFINITIF

Présent	Passé
recevoir	avoir reçu

PARTICIPE

Présent	Passé	Passé composé
recevant	reçu, e	ayant reçu

VOIR

INDICATIF

Présent	Passé composé
je vois	j' ai vu
tu vois	tu as vu
il voit	il a vu
ns voyons	ns avons vu
vs voyez	vs avez vu
ils voient	ils ont vu

Imparfait	Plus-que-parfait
je voyais	j' avais vu
tu voyais	tu avais vu
il voyait	il avait vu
ns voyions	ns avions vu
vs voyiez	vs aviez vu
ils voyaient	ils avaient vu

Passé simple	Passé antérieur
je vis	j' eus vu
tu vis	tu eus vu
il vit	il eut vu
ns vîmes	ns eûmes vu
vs vîtes	vs eûtes vu
ils virent	ils eurent vu

Futur simple	Futur antérieur
je verrai	j' aurai vu
tu verras	tu auras vu
il verra	il aura vu
ns verrons	ns aurons vu
vs verrez	vs aurez vu
ils verront	ils auront vu

SUBJONCTIF

Présent	Imparfait	Passé	Plus-que-parfait
que je voie	que je visse	que j' aie vu	que j' eusse vu
que tu voies	que tu visses	que tu aies vu	que tu eusses vu
qu' il voie	qu' il vît	qu' il ait vu	qu' il eût vu
que ns voyions	que ns vissions	que ns ayons vu	que ns eussions vu
que vs voyiez	que vs vissiez	que vs ayez vu	que vs eussiez vu
qu' ils voient	qu' ils vissent	qu' ils aient vu	qu' ils eussent vu

CONDITIONNEL

Présent	Passé 1re forme	Passé 2e forme
je verrais	j' aurais vu	j' eusse vu
tu verrais	tu aurais vu	tu eusses vu
il verrait	il aurait vu	il eût vu
ns verrions	ns aurions vu	ns eussions vu
vs verriez	vs auriez vu	vs eussiez vu
ils verraient	ils auraient vu	ils eussent vu

IMPÉRATIF

Présent			Passé		
vois	voyons	voyez	aie vu	ayons vu	ayez vu

INFINITIF

Présent	Passé
voir	avoir vu

PARTICIPE

Présent	Passé	Passé composé
voyant	vu, e	ayant vu

PRÉVOIR

INDICATIF

Présent	Passé composé
je prévois	j' ai prévu
tu prévois	tu as prévu
il prévoit	il a prévu
ns prévoyons	ns avons prévu
vs prévoyez	vs avez prévu
ils prévoient	ils ont prévu
Imparfait	**Plus-que-parfait**
je prévoyais	j' avais prévu
tu prévoyais	tu avais prévu
il prévoyait	il avait prévu
ns prévoyions	ns avions prévu
vs prévoyiez	vs aviez prévu
ils prévoyaient	ils avaient prévu
Passé simple	**Passé antérieur**
je prévis	j' eus prévu
tu prévis	tu eus prévu
il prévit	il eut prévu
ns prévîmes	ns eûmes prévu
vs prévîtes	vs eûtes prévu
ils prévirent	ils eurent prévu
Futur simple	**Futur antérieur**
je prévoirai	j' aurai prévu
tu prévoiras	tu auras prévu
il prévoira	il aura prévu
ns prévoirons	ns aurons prévu
vs prévoirez	vs aurez prévu
ils prévoiront	ils auront prévu

SUBJONCTIF

Présent	Imparfait
que je prévoie	que je prévisse
que tu prévoies	que tu prévisses
qu' il prévoie	qu' il prévît
que ns prévoyions	que ns prévissions
que vs prévoyiez	que vs prévissiez
qu' ils prévoient	qu' ils prévissent
Passé	**Plus-que-parfait**
que j' aie prévu	que j' eusse prévu
que tu aies prévu	que tu eusses prévu
qu' il ait prévu	qu' il eût prévu
que ns ayons prévu	que ns eussions prévu
que vs ayez prévu	que vs eussiez prévu
qu' ils aient prévu	qu' ils eussent prévu

CONDITIONNEL

Présent	Passé 1re forme	Passé 2e forme
je prévoirais	j' aurais prévu	j' eusse prévu
tu prévoirais	tu aurais prévu	tu eusses prévu
il prévoirait	il aurait prévu	il eût prévu
ns prévoirions	ns aurions prévu	ns eussions prévu
vs prévoiriez	vs auriez prévu	vs eussiez prévu
ils prévoiraient	ils auraient prévu	ils eussent prévu

IMPÉRATIF

Présent			Passé		
prévois	prévoyons	prévoyez	aie prévu	ayons prévu	ayez prévu

INFINITIF

Présent	Passé
prévoir	avoir prévu

PARTICIPE

Présent	Passé	Passé composé
prévoyant	prévu, e	ayant prévu

39 POURVOIR 3e groupe

INDICATIF

Présent	Passé composé
je pourvois	j' ai pourvu
tu pourvois	tu as pourvu
il pourvoit	il a pourvu
ns pourvoyons	ns avons pourvu
vs pourvoyez	vs avez pourvu
ils pourvoient	ils ont pourvu

Imparfait	Plus-que-parfait
je pourvoyais	j' avais pourvu
tu pourvoyais	tu avais pourvu
il pourvoyait	il avait pourvu
ns pourvoyions	ns avions pourvu
vs pourvoyiez	vs aviez pourvu
ils pourvoyaient	ils avaient pourvu

Passé simple	Passé antérieur
je pourvus	j' eus pourvu
tu pourvus	tu eus pourvu
il pourvut	il eut pourvu
ns pourvûmes	ns eûmes pourvu
vs pourvûtes	vs eûtes pourvu
ils pourvurent	ils eurent pourvu

Futur simple	Futur antérieur
je pourvoirai	j' aurai pourvu
tu pourvoiras	tu auras pourvu
il pourvoira	il aura pourvu
ns pourvoirons	ns aurons pourvu
vs pourvoirez	vs aurez pourvu
ils pourvoiront	ils auront pourvu

SUBJONCTIF

Présent	Imparfait
que je pourvoie	que je pourvusse
que tu pourvoies	que tu pourvusses
qu' il pourvoie	qu' il pourvût
que ns pourvoyions	que ns pourvussions
que vs pourvoyiez	que vs pourvussiez
qu' ils pourvoient	qu' ils pourvussent

Passé	Plus-que-parfait
que j' aie pourvu	que j' eusse pourvu
que tu aies pourvu	que tu eusses pourvu
qu' il ait pourvu	qu' il eût pourvu
que ns ayons pourvu	que ns eussions pourvu
que vs ayez pourvu	que vs eussiez pourvu
qu' ils aient pourvu	qu' ils eussent pourvu

CONDITIONNEL

Présent	Passé 1re forme	Passé 2e forme
je pourvoirais	j' aurais pourvu	j' eusse pourvu
tu pourvoirais	tu aurais pourvu	tu eusses pourvu
il pourvoirait	il aurait pourvu	il eût pourvu
ns pourvoirions	ns aurions pourvu	ns eussions pourvu
vs pourvoiriez	vs auriez pourvu	vs eussiez pourvu
ils pourvoiraient	ils auraient pourvu	ils eussent pourvu

IMPÉRATIF

Présent	Passé
pourvois pourvoyons pourvoyez	aie pourvu ayons pourvu ayez pourvu

INFINITIF

Présent	Passé
pourvoir	avoir pourvu

PARTICIPE

Présent	Passé	Passé composé
pourvoyant	pourvu, e	ayant pourvu

3e groupe

ASSEOIR

40

INDICATIF

Présent		*ou*	Passé composé		
j'	assieds	assois	j'	ai	assis
tu	assieds	assois	tu	as	assis
il	assied	assoit	il	a	assis
ns	asseyons	assoyons	ns	avons	assis
vs	asseyez	assoyez	vs	avez	assis
ils	asseyent	assoient	ils	ont	assis

Imparfait		*ou*	Plus-que-parfait		
j'	asseyais	assoyais	j'	avais	assis
tu	asseyais	assoyais	tu	avais	assis
il	asseyait	assoyait	il	avait	assis
ns	asseyions	assoyions	ns	avions	assis
vs	asseyiez	assoyiez	vs	aviez	assis
ils	asseyaient	assoyaient	ils	avaient	assis

Passé simple			Passé antérieur		
j'	assis		j'	eus	assis
tu	assis		tu	eus	assis
il	assit		il	eut	assis
ns	assîmes		ns	eûmes	assis
vs	assîtes		vs	eûtes	assis
ils	assirent		ils	eurent	assis

Futur simple		*ou*	Futur antérieur		
j'	assiérai	assoirai	j'	aurai	assis
tu	assiéras	assoiras	tu	auras	assis
il	assiéra	assoira	il	aura	assis
ns	assiérons	assoirons	ns	aurons	assis
vs	assiérez	assoirez	vs	aurez	assis
ils	assiéront	assoiront	ils	auront	assis

SUBJONCTIF

Présent			*ou*
que	j'	asseye	assoie
que	tu	asseyes	assoies
qu'	il	asseye	assoie
que	ns	asseyions	assoyions
que	vs	asseyiez	assoyiez
qu'	ils	asseyent	assoient

Imparfait		
que	j'	assisse
que	tu	assisses
qu'	il	assît
que	ns	assissions
que	vs	assissiez
qu'	ils	assissent

Passé			
que	j'	aie	assis
que	tu	aies	assis
qu'	il	ait	assis
que	ns	ayons	assis
que	vs	ayez	assis
qu'	ils	aient	assis

Plus-que-parfait			
que	j'	eusse	assis
que	tu	eusses	assis
qu'	il	eût	assis
que	ns	eussions	assis
que	vs	eussiez	assis
qu'	ils	eussent	assis

CONDITIONNEL

Présent		*ou*	Passé 1re forme			Passé 2e forme		
j'	assiérais	assoirais	j'	aurais	assis	j'	eusse	assis
tu	assiérais	assoirais	tu	aurais	assis	tu	eusses	assis
il	assiérait	assoirait	il	aurait	assis	il	eût	assis
ns	assiérions	assoirions	ns	aurions	assis	ns	eussions	assis
vs	assiériez	assoiriez	vs	auriez	assis	vs	eussiez	assis
ils	assiéraient	assoiraient	ils	auraient	assis	ils	eussent	assis

IMPÉRATIF

Présent			Passé		
assieds *ou* assois	asseyons *ou* assoyons	asseyez *ou* assoyez	aie assis	ayons assis	ayez assis

INFINITIF

Présent	Passé
asseoir	avoir assis

PARTICIPE

Présent	Passé	Passé composé
asseyant *ou* assoyant	assis, se	ayant assis

41 SURSEOIR — 3e groupe

INDICATIF

Présent	Passé composé
je sursois	j' ai sursis
tu sursois	tu as sursis
il sursoit	il a sursis
ns sursoyons	ns avons sursis
vs sursoyez	vs avez sursis
ils sursoient	ils ont sursis

Imparfait	Plus-que-parfait
je sursoyais	j' avais sursis
tu sursoyais	tu avais sursis
il sursoyait	il avait sursis
ns sursoyions	ns avions sursis
vs sursoyiez	vs aviez sursis
ils sursoyaient	ils avaient sursis

Passé simple	Passé antérieur
je sursis	j' eus sursis
tu sursis	tu eus sursis
il sursit	il eut sursis
ns sursîmes	ns eûmes sursis
vs sursîtes	vs eûtes sursis
ils sursirent	ils eurent sursis

Futur simple	Futur antérieur
je surseoirai	j' aurai sursis
tu surseoiras	tu auras sursis
il surseoira	il aura sursis
ns surseoirons	ns aurons sursis
vs surseoirez	vs aurez sursis
ils surseoiront	ils auront sursis

SUBJONCTIF

Présent	Imparfait
que je sursoie	que je sursisse
que tu sursoies	que tu sursisses
qu' il sursoie	qu' il sursît
que ns sursoyions	que ns sursissions
que vs sursoyiez	que vs sursissiez
qu' ils sursoient	qu' ils sursissent

Passé	Plus-que-parfait
que j' aie sursis	que j' eusse sursis
que tu aies sursis	que tu eusses sursis
qu' il ait sursis	qu' il eût sursis
que ns ayons sursis	que ns eussions sursis
que vs ayez sursis	que vs eussiez sursis
qu' ils aient sursis	qu' ils eussent sursis

CONDITIONNEL

Présent	Passé 1re forme	Passé 2e forme
je surseoirais	j' aurais sursis	j' eusse sursis
tu surseoirais	tu aurais sursis	tu eusses sursis
il surseoirait	il aurait sursis	il eût sursis
ns surseoirions	ns aurions sursis	ns eussions sursis
vs surseoiriez	vs auriez sursis	vs eussiez sursis
ils surseoiraient	ils auraient sursis	ils eussent sursis

IMPÉRATIF

Présent			Passé		
sursois	sursoyons	sursoyez	aie sursis	ayons sursis	ayez sursis

INFINITIF

Présent	Passé
surseoir	avoir sursis

PARTICIPE

Présent	Passé	Passé composé
sursoyant	sursis, se	ayant sursis

SAVOIR

INDICATIF

Présent	Passé composé
je sais	j' ai su
tu sais	tu as su
il sait	il a su
ns savons	ns avons su
vs savez	vs avez su
ils savent	ils ont su

Imparfait	Plus-que-parfait
je savais	j' avais su
tu savais	tu avais su
il savait	il avait su
ns savions	ns avions su
vs saviez	vs aviez su
ils savaient	ils avaient su

Passé simple	Passé antérieur
je sus	j' eus su
tu sus	tu eus su
il sut	il eut su
ns sûmes	ns eûmes su
vs sûtes	vs eûtes su
ils surent	ils eurent su

Futur simple	Futur antérieur
je saurai	j' aurai su
tu sauras	tu auras su
il saura	il aura su
ns saurons	ns aurons su
vs saurez	vs aurez su
ils sauront	ils auront su

SUBJONCTIF

Présent	Imparfait
que je sache	que je susse
que tu saches	que tu susses
qu' il sache	qu' il sût
que ns sachions	que ns sussions
que vs sachiez	que vs sussiez
qu' ils sachent	qu' ils sussent

Passé	Plus-que-parfait
que j' aie su	que j' eusse su
que tu aies su	que tu eusses su
qu' il ait su	qu' il eût su
que ns ayons su	que ns eussions su
que vs ayez su	que vs eussiez su
qu' ils aient su	qu' ils eussent su

CONDITIONNEL

Présent	Passé 1re forme	Passé 2e forme
je saurais	j' aurais su	j' eusse su
tu saurais	tu aurais su	tu eusses su
il saurait	il aurait su	il eût su
ns saurions	ns aurions su	ns eussions su
vs sauriez	vs auriez su	vs eussiez su
ils sauraient	ils auraient su	ils eussent su

IMPÉRATIF

Présent			Passé		
sache	sachons	sachez	aie su	ayons su	ayez su

INFINITIF

Présent	Passé
savoir	avoir su

PARTICIPE

Présent	Passé	Passé composé
sachant	su, e	ayant su

43 DEVOIR 3e groupe

INDICATIF

Présent		Passé composé		
je	dois	j'	ai	dû
tu	dois	tu	as	dû
il	doit	il	a	dû
ns	devons	ns	avons	dû
vs	devez	vs	avez	dû
ils	doivent	ils	ont	dû

Imparfait		Plus-que-parfait		
je	devais	j'	avais	dû
tu	devais	tu	avais	dû
il	devait	il	avait	dû
ns	devions	ns	avions	dû
vs	deviez	vs	aviez	dû
ils	devaient	ils	avaient	dû

Passé simple		Passé antérieur		
je	dus	j'	eus	dû
tu	dus	tu	eus	dû
il	dut	il	eut	dû
ns	dûmes	ns	eûmes	dû
vs	dûtes	vs	eûtes	dû
ils	durent	ils	eurent	dû

Futur simple		Futur antérieur		
je	devrai	j'	aurai	dû
tu	devras	tu	auras	dû
il	devra	il	aura	dû
ns	devrons	ns	aurons	dû
vs	devrez	vs	aurez	dû
ils	devront	ils	auront	dû

SUBJONCTIF

Présent		
que	je	doive
que	tu	doives
qu'	il	doive
que	ns	devions
que	vs	deviez
qu'	ils	doivent

Imparfait		
que	je	dusse
que	tu	dusses
qu'	il	dût
que	ns	dussions
que	vs	dussiez
qu'	ils	dussent

Passé			
que	j'	aie	dû
que	tu	aies	dû
qu'	il	ait	dû
que	ns	ayons	dû
que	vs	ayez	dû
qu'	ils	aient	dû

Plus-que-parfait			
que	j'	eusse	dû
que	tu	eusses	dû
qu'	il	eût	dû
que	ns	eussions	dû
que	vs	eussiez	dû
qu'	ils	eussent	dû

CONDITIONNEL

Présent		Passé 1re forme			Passé 2e forme		
je	devrais	j'	aurais	dû	j'	eusse	dû
tu	devrais	tu	aurais	dû	tu	eusses	dû
il	devrait	il	aurait	dû	il	eût	dû
ns	devrions	ns	aurions	dû	ns	eussions	dû
vs	devriez	vs	auriez	dû	vs	eussiez	dû
ils	devraient	ils	auraient	dû	ils	eussent	dû

IMPÉRATIF

inusité

INFINITIF

Présent	Passé
devoir	avoir dû

PARTICIPE

Présent	Passé	Passé composé
devant	dû, due	ayant dû

POUVOIR

INDICATIF

Présent	ou	Passé composé
je peux	je puis	j' ai pu
tu peux		tu as pu
il peut		il a pu
ns pouvons		ns avons pu
vs pouvez		vs avez pu
ils peuvent		ils ont pu

Imparfait	Plus-que-parfait
je pouvais	j' avais pu
tu pouvais	tu avais pu
il pouvait	il avait pu
ns pouvions	ns avions pu
vs pouviez	vs aviez pu
ils pouvaient	ils avaient pu

Passé simple	Passé antérieur
je pus	j' eus pu
tu pus	tu eus pu
il put	il eut pu
ns pûmes	ns eûmes pu
vs pûtes	vs eûtes pu
ils purent	ils eurent pu

Futur simple	Futur antérieur
je pourrai	j' aurai pu
tu pourras	tu auras pu
il pourra	il aura pu
ns pourrons	ns aurons pu
vs pourrez	vs aurez pu
ils pourront	ils auront pu

SUBJONCTIF

Présent	Imparfait	Passé	Plus-que-parfait
que je puisse	que je pusse	que j' aie pu	que j' eusse pu
que tu puisses	que tu pusses	que tu aies pu	que tu eusses pu
qu' il puisse	qu' il pût	qu' il ait pu	qu' il eût pu
que ns puissions	que ns pussions	que ns ayons pu	que ns eussions pu
que vs puissiez	que vs pussiez	que vs ayez pu	que vs eussiez pu
qu' ils puissent	qu' ils pussent	qu' ils aient pu	qu' ils eussent pu

CONDITIONNEL

Présent	Passé 1re forme	Passé 2e forme
je pourrais	j' aurais pu	j' eusse pu
tu pourrais	tu aurais pu	tu eusses pu
il pourrait	il aurait pu	il eût pu
ns pourrions	ns aurions pu	ns eussions pu
vs pourriez	vs auriez pu	vs eussiez pu
ils pourraient	ils auraient pu	ils eussent pu

IMPÉRATIF

inusité

INFINITIF

Présent	Passé
pouvoir	avoir pu

PARTICIPE

Présent	Passé	Passé composé
pouvant	pu	ayant pu

45 VOULOIR 3e groupe

INDICATIF

Présent		Passé composé		
je	veux	j'	ai	voulu
tu	veux	tu	as	voulu
il	veut	il	a	voulu
ns	voulons	ns	avons	voulu
vs	voulez	vs	avez	voulu
ils	veulent	ils	ont	voulu
Imparfait		**Plus-que-parfait**		
je	voulais	j'	avais	voulu
tu	voulais	tu	avais	voulu
il	voulait	il	avait	voulu
ns	voulions	ns	avions	voulu
vs	vouliez	vs	aviez	voulu
ils	voulaient	ils	avaient	voulu
Passé simple		**Passé antérieur**		
je	voulus	j'	eus	voulu
tu	voulus	tu	eus	voulu
il	voulut	il	eut	voulu
ns	voulûmes	ns	eûmes	voulu
vs	voulûtes	vs	eûtes	voulu
ils	voulurent	ils	eurent	voulu
Futur simple		**Futur antérieur**		
je	voudrai	j'	aurai	voulu
tu	voudras	tu	auras	voulu
il	voudra	il	aura	voulu
ns	voudrons	ns	aurons	voulu
vs	voudrez	vs	aurez	voulu
ils	voudront	ils	auront	voulu

SUBJONCTIF

Présent			
que	je	veuille	
que	tu	veuilles	
qu'	il	veuille	
que	ns	voulions	
que	vs	vouliez	
qu'	ils	veuillent	
Imparfait			
que	je	voulusse	
que	tu	voulusses	
qu'	il	voulût	
que	ns	voulussions	
que	vs	voulussiez	
qu'	ils	voulussent	
Passé			
que	j'	aie	voulu
que	tu	aies	voulu
qu'	il	ait	voulu
que	ns	ayons	voulu
que	vs	ayez	voulu
qu'	ils	aient	voulu
Plus-que-parfait			
que	j'	eusse	voulu
que	tu	eusses	voulu
qu'	il	eût	voulu
que	ns	eussions	voulu
que	vs	eussiez	voulu
qu'	ils	eussent	voulu

CONDITIONNEL

Présent		Passé 1re forme			Passé 2e forme		
je	voudrais	j'	aurais	voulu	j'	eusse	voulu
tu	voudrais	tu	aurais	voulu	tu	eusses	voulu
il	voudrait	il	aurait	voulu	il	eût	voulu
ns	voudrions	ns	aurions	voulu	ns	eussions	voulu
vs	voudriez	vs	auriez	voulu	vs	eussiez	voulu
ils	voudraient	ils	auraient	voulu	ils	eussent	voulu

IMPÉRATIF

Présent			Passé		
veux *ou* veuille	voulons	voulez *ou* veuillez	aie voulu	ayons voulu	ayez voulu

INFINITIF

Présent	Passé
vouloir	avoir voulu

PARTICIPE

Présent	Passé	Passé composé
voulant	voulu, e	ayant voulu

VALOIR

INDICATIF

Présent	Passé composé
je vaux	j' ai valu
tu vaux	tu as valu
il vaut	il a valu
ns valons	ns avons valu
vs valez	vs avez valu
ils valent	ils ont valu
Imparfait	**Plus-que-parfait**
je valais	j' avais valu
tu valais	tu avais valu
il valait	il avait valu
ns valions	ns avions valu
vs valiez	vs aviez valu
ils valaient	ils avaient valu
Passé simple	**Passé antérieur**
je valus	j' eus valu
tu valus	tu eus valu
il valut	il eut valu
ns valûmes	ns eûmes valu
vs valûtes	vs eûtes valu
ils valurent	ils eurent valu
Futur simple	**Futur antérieur**
je vaudrai	j' aurai valu
tu vaudras	tu auras valu
il vaudra	il aura valu
ns vaudrons	ns aurons valu
vs vaudrez	vs aurez valu
ils vaudront	ils auront valu

SUBJONCTIF

Présent	Imparfait	Passé	Plus-que-parfait
que je vaille	que je valusse	que j' aie valu	que j' eusse valu
que tu vailles	que tu valusses	que tu aies valu	que tu eusses valu
qu' il vaille	qu' il valût	qu' il ait valu	qu' il eût valu
que ns valions	que ns valussions	que ns ayons valu	que ns eussions valu
que vs valiez	que vs valussiez	que vs ayez valu	que vs eussiez valu
qu' ils vaillent	qu' ils valussent	qu' ils aient valu	qu' ils eussent valu

CONDITIONNEL

Présent	Passé 1re forme	Passé 2e forme
je vaudrais	j' aurais valu	j' eusse valu
tu vaudrais	tu aurais valu	tu eusses valu
il vaudrait	il aurait valu	il eût valu
ns vaudrions	ns aurions valu	ns eussions valu
vs vaudriez	vs auriez valu	vs eussiez valu
ils vaudraient	ils auraient valu	ils eussent valu

IMPÉRATIF

Présent			Passé		
vaux	valons	valez	aie valu	ayons valu	ayez valu

INFINITIF

Présent	Passé
valoir	avoir valu

PARTICIPE

Présent	Passé	Passé composé
valant	valu, e	ayant valu

PRÉVALOIR

3e groupe

INDICATIF

Présent	Passé composé
je prévaux	j' ai prévalu
tu prévaux	tu as prévalu
il prévaut	il a prévalu
ns prévalons	ns avons prévalu
vs prévalez	vs avez prévalu
ils prévalent	ils ont prévalu

Imparfait	Plus-que-parfait
je prévalais	j' avais prévalu
tu prévalais	tu avais prévalu
il prévalait	il avait prévalu
ns prévalions	ns avions prévalu
vs prévaliez	vs aviez prévalu
ils prévalaient	ils avaient prévalu

Passé simple	Passé antérieur
je prévalus	j' eus prévalu
tu prévalus	tu eus prévalu
il prévalut	il eut prévalu
ns prévalûmes	ns eûmes prévalu
vs prévalûtes	vs eûtes prévalu
ils prévalurent	ils eurent prévalu

Futur simple	Futur antérieur
je prévaudrai	j' aurai prévalu
tu prévaudras	tu auras prévalu
il prévaudra	il aura prévalu
ns prévaudrons	ns aurons prévalu
vs prévaudrez	vs aurez prévalu
ils prévaudront	ils auront prévalu

SUBJONCTIF

Présent	Imparfait
que je **prévale**	que je prévalusse
que tu **prévales**	que tu prévalusses
qu' il **prévale**	qu' il prévalût
que ns **prévalions**	que ns prévalussions
que vs **prévaliez**	que vs prévalussiez
qu' ils **prévalent**	qu' ils prévalussent

Passé	Plus-que-parfait
que j' aie prévalu	que j' eusse prévalu
que tu aies prévalu	que tu eusses prévalu
qu' il ait prévalu	qu' il eût prévalu
que ns ayons prévalu	que ns eussions prévalu
que vs ayez prévalu	que vs eussiez prévalu
qu' ils aient prévalu	qu' ils eussent prévalu

CONDITIONNEL

Présent	Passé 1re forme	Passé 2e forme
je prévaudrais	j' aurais prévalu	j' eusse prévalu
tu prévaudrais	tu aurais prévalu	tu eusses prévalu
il prévaudrait	il aurait prévalu	il eût prévalu
ns prévaudrions	ns aurions prévalu	ns eussions prévalu
vs prévaudriez	vs auriez prévalu	vs eussiez prévalu
ils prévaudraient	ils auraient prévalu	ils eussent prévalu

IMPÉRATIF

Présent			Passé		
prévaux	prévalons	prévalez	aie prévalu	ayons prévalu	ayez prévalu

INFINITIF

Présent	Passé
prévaloir	avoir prévalu

PARTICIPE

Présent	Passé	Passé composé
prévalant	prévalu, e	ayant prévalu

MOUVOIR

INDICATIF

Présent	Passé composé
je meus	j' ai mû
tu meus	tu as mû
il meut	il a mû
ns mouvons	ns avons mû
vs mouvez	vs avez mû
ils meuvent	ils ont mû

Imparfait	Plus-que-parfait
je mouvais	j' avais mû
tu mouvais	tu avais mû
il mouvait	il avait mû
ns mouvions	ns avions mû
vs mouviez	vs aviez mû
ils mouvaient	ils avaient mû

Passé simple	Passé antérieur
je mus	j' eus mû
tu mus	tu eus mû
il mut	il eut mû
ns mûmes	ns eûmes mû
vs mûtes	vs eûtes mû
ils murent	ils eurent mû

Futur simple	Futur antérieur
je mouvrai	j' aurai mû
tu mouvras	tu auras mû
il mouvra	il aura mû
ns mouvrons	ns aurons mû
vs mouvrez	vs aurez mû
ils mouvront	ils auront mû

SUBJONCTIF

Présent	Imparfait
que je meuve	que je musse
que tu meuves	que tu musses
qu' il meuve	qu' il mût
que ns mouvions	que ns mussions
que vs mouviez	que vs mussiez
qu' ils meuvent	qu' ils mussent

Passé	Plus-que-parfait
que j' aie mû	que j' eusse mû
que tu aies mû	que tu eusses mû
qu' il ait mû	qu' il eût mû
que ns ayons mû	que ns eussions mû
que vs ayez mû	que vs eussiez mû
qu' ils aient mû	qu' ils eussent mû

CONDITIONNEL

Présent	Passé 1re forme	Passé 2e forme
je mouvrais	j' aurais mû	j' eusse mû
tu mouvrais	tu aurais mû	tu eusses mû
il mouvrait	il aurait mû	il eût mû
ns mouvrions	ns aurions mû	ns eussions mû
vs mouvriez	vs auriez mû	vs eussiez mû
ils mouvraient	ils auraient mû	ils eussent mû

IMPÉRATIF

Présent			Passé		
meus	mouvons	mouvez	aie mû	ayons mû	ayez mû

INFINITIF

Présent	Passé
mouvoir	avoir mû

PARTICIPE

Présent	Passé	Passé composé
mouvant	mû, mue	ayant mû

49 FALLOIR 3e groupe

INDICATIF

Présent
il faut

Imparfait
il fallait

Passé simple
il fallut

Futur simple
il faudra

Passé composé
il a fallu

Plus-que-parfait
il avait fallu

Passé antérieur
il eut fallu

Futur antérieur
il aura fallu

SUBJONCTIF

Présent
qu' il faille

Imparfait
qu' il fallût

Passé
qu' il ait fallu

Plus-que-parfait
qu' il eût fallu

CONDITIONNEL

Présent
il faudrait

Passé 1re forme
il aurait fallu

Passé 2e forme
il eût fallu

IMPÉRATIF

inusité

INFINITIF

Présent
falloir

Passé
avoir fallu

PARTICIPE

Présent
inusité

Passé
fallu

Passé composé
ayant fallu

PLEUVOIR

INDICATIF

Présent
il pleut
ils pleuvent

Imparfait
il pleuvait
ils pleuvaient

Passé simple
il plut
ils plurent

Futur simple
il pleuvra
ils pleuvront

Passé composé
il a plu
ils ont plu

Plus-que-parfait
il avait plu
ils avaient plu

Passé antérieur
il eut plu
ils eurent plu

Futur antérieur
il aura plu
ils auront plu

SUBJONCTIF

Présent
qu' il pleuve
qu' ils pleuvent

Imparfait
qu' il plût
qu' ils plussent

Passé
qu' il ait plu
qu' ils aient plu

Plus-que-parfait
qu' il eût plu
qu' ils eussent plu

CONDITIONNEL

Présent
il pleuvrait
ils pleuvraient

Passé 1re forme
il aurait plu
ils auraient plu

Passé 2e forme
il eût plu
ils eussent plu

IMPÉRATIF

inusité

INFINITIF

Présent
pleuvoir

Passé
avoir plu

PARTICIPE

Présent
pleuvant

Passé
plu

Passé composé
ayant plu

DÉCHOIR

INDICATIF

Présent	ou	Passé composé	
je déchois		j' ai	déchu
tu déchois		tu as	déchu
il déchoit	déchet	il a	déchu
ns déchoyons		ns avons	déchu
vs déchoyez		vs avez	déchu
ils déchoient		ils ont	déchu

Imparfait	Plus-que-parfait	
inusité	j' avais	déchu
	tu avais	déchu
	il avait	déchu
	ns avions	déchu
	vs aviez	déchu
	ils avaient	déchu

Passé simple	Passé antérieur	
je déchus	j' eus	déchu
tu déchus	tu eus	déchu
il déchut	il eut	déchu
ns déchûmes	ns eûmes	déchu
vs déchûtes	vs eûtes	déchu
ils déchurent	ils eurent	déchu

Futur simple	ou	Futur antérieur	
je déchoirai	décherrai	j' aurai	déchu
tu déchoiras	décherras	tu auras	déchu
il déchoira	décherra	il aura	déchu
ns déchoirons	décherrons	ns aurons	déchu
vs déchoirez	décherrez	vs aurez	déchu
ils déchoiront	décherront	ils auront	déchu

SUBJONCTIF

Présent	Imparfait
que je déchoie	que je déchusse
que tu déchoies	que tu déchusses
qu' il déchoie	qu' il déchût
que ns déchoyions	que ns déchussions
que vs déchoyiez	que vs déchussiez
qu' ils déchoient	qu' ils déchussent

Passé		Plus-que-parfait	
que j' aie	déchu	que j' eusse	déchu
que tu aies	déchu	que tu eusses	déchu
qu' il ait	déchu	qu' il eût	déchu
que ns ayons	déchu	que ns eussions	déchu
que vs ayez	déchu	que vs eussiez	déchu
qu' ils aient	déchu	qu' ils eussent	déchu

CONDITIONNEL

Présent	ou	Passé 1re forme		Passé 2e forme	
je déchoirais	décherrais	j' aurais	déchu	j' eusse	déchu
tu déchoirais	décherrais	tu aurais	déchu	tu eusses	déchu
il déchoirait	décherrait	il aurait	déchu	il eût	déchu
ns déchoirions	décherrions	ns aurions	déchu	ns eussions	déchu
vs déchoiriez	décherriez	vs auriez	déchu	vs eussiez	déchu
ils déchoiraient	décherraient	ils auraient	déchu	ils eussent	déchu

IMPÉRATIF

inusité

INFINITIF

Présent	Passé
déchoir	avoir déchu

PARTICIPE

Présent	Passé	Passé composé
déchéant *(rare)*	déchu, e	ayant déchu

RENDRE

INDICATIF

Présent	Passé composé
je rends	j' ai rendu
tu rends	tu as rendu
il rend	il a rendu
ns rendons	ns avons rendu
vs rendez	vs avez rendu
ils rendent	ils ont rendu
Imparfait	**Plus-que-parfait**
je rendais	j' avais rendu
tu rendais	tu avais rendu
il rendait	il avait rendu
ns rendions	ns avions rendu
vs rendiez	vs aviez rendu
ils rendaient	ils avaient rendu
Passé simple	**Passé simple**
je rendis	j' eus rendu
tu rendis	tu eus rendu
il rendit	il eut rendu
ns rendîmes	ns eûmes rendu
vs rendîtes	vs eûtes rendu
ils rendirent	ils eurent rendu
Futur simple	**Futur antérieur**
je rendrai	j' aurai rendu
tu rendras	tu auras rendu
il rendra	il aura rendu
ns rendrons	ns aurons rendu
vs rendrez	vs aurez rendu
ils rendront	ils auront rendu

SUBJONCTIF

Présent	Imparfait	Passé	Plus-que-parfait
que je rende	que je rendisse	que j' aie rendu	que j' eusse rendu
que tu rendes	que tu rendisses	que tu aies rendu	que tu eusses rendu
qu' il rende	qu' il rendît	qu' il ait rendu	qu' il eût rendu
que ns rendions	que ns rendissions	que ns ayons rendu	que ns eussions rendu
que vs rendiez	que vs rendissiez	que vs ayez rendu	que vs eussiez rendu
qu' ils rendent	qu' ils rendissent	qu' ils aient rendu	qu' ils eussent rendu

CONDITIONNEL

Présent	Passé 1re forme	Passé 2e forme
je rendrais	j' aurais rendu	j' eusse rendu
tu rendrais	tu aurais rendu	tu eusses rendu
il rendrait	il aurait rendu	il eût rendu
ns rendrions	ns aurions rendu	ns eussions rendu
vs rendriez	vs auriez rendu	vs eussiez rendu
ils rendraient	ils auraient rendu	ils eussent rendu

IMPÉRATIF

Présent			Passé		
rends	rendons	rendez	aie rendu	ayons rendu	ayez rendu

INFINITIF

Présent	Passé
rendre	avoir rendu

PARTICIPE

Présent	Passé	Passé composé
rendant	rendu, e	ayant rendu

PRENDRE

3e groupe

INDICATIF

Présent	Passé composé
je prends	j' ai pris
tu prends	tu as pris
il prend	il a pris
ns **prenons**	ns avons pris
vs **prenez**	vs avez pris
ils **prennent**	ils ont pris

Imparfait	Plus-que-parfait
je **prenais**	j' avais pris
tu **prenais**	tu avais pris
il **prenait**	il avait pris
ns **prenions**	ns avions pris
vs **preniez**	vs aviez pris
ils **prenaient**	ils avaient pris

Passé simple	Passé antérieur
je pris	j' eus pris
tu pris	tu eus pris
il prit	il eut pris
ns prîmes	ns eûmes pris
vs prîtes	vs eûtes pris
ils prirent	ils eurent pris

Futur simple	Futur antérieur
je prendrai	j' aurai pris
tu prendras	tu auras pris
il prendra	il aura pris
ns prendrons	ns aurons pris
vs prendrez	vs aurez pris
ils prendront	ils auront pris

SUBJONCTIF

Présent	Imparfait
que je **prenne**	que je prisse
que tu **prennes**	que tu prisses
qu' il **prenne**	qu' il prît
que ns **prenions**	que ns prissions
que vs **preniez**	que vs prissiez
qu' ils **prennent**	qu' ils prissent

Passé	Plus-que-parfait
que j' aie pris	que j' eusse pris
que tu aies pris	que tu eusses pris
qu' il ait pris	qu' il eût pris
que ns ayons pris	que ns eussions pris
que vs ayez pris	que vs eussiez pris
qu' ils aient pris	qu' ils eussent pris

CONDITIONNEL

Présent	Passé 1re forme	Passé 2e forme
je prendrais	j' aurais pris	j' eusse pris
tu prendrais	tu aurais pris	tu eusses pris
il prendrait	il aurait pris	il eût pris
ns prendrions	ns aurions pris	ns eussions pris
vs prendriez	vs auriez pris	vs eussiez pris
ils prendraient	ils auraient pris	ils eussent pris

IMPÉRATIF

Présent			Passé		
prends	**prenons**	**prenez**	aie pris	ayons pris	ayez pris

INFINITIF

Présent	Passé
prendre	avoir pris

PARTICIPE

Présent	Passé	Passé composé
prenant	pris, se	ayant pris

CRAINDRE

INDICATIF

Présent	Passé composé
je crains	j' ai craint
tu crains	tu as craint
il craint	il a craint
ns craignons	ns avons craint
vs craignez	vs avez craint
ils craignent	ils ont craint

Imparfait	Plus-que-parfait
je craignais	j' avais craint
tu craignais	tu avais craint
il craignait	il avait craint
ns craignions	ns avions craint
vs craigniez	vs aviez craint
ils craignaient	ils avaient craint

Passé simple	Passé antérieur
je craignis	j' eus craint
tu craignis	tu eus craint
il craignit	il eut craint
ns craignîmes	ns eûmes craint
vs craignîtes	vs eûtes craint
ils craignirent	ils eurent craint

Futur simple	Futur antérieur
je craindrai	j' aurai craint
tu craindras	tu auras craint
il craindra	il aura craint
ns craindrons	ns aurons craint
vs craindrez	vs aurez craint
ils craindront	ils auront craint

SUBJONCTIF

Présent	Imparfait
que je craigne	que je craignisse
que tu craignes	que tu craignisses
qu' il craigne	qu' il craignît
que ns craignions	que ns craignissions
que vs craigniez	que vs craignissiez
qu' ils craignent	qu' ils craignissent

Passé	Plus-que-parfait
que j' aie craint	que j' eusse craint
que tu aies craint	que tu eusses craint
qu' il ait craint	qu' il eût craint
que ns ayons craint	que ns eussions craint
que vs ayez craint	que vs eussiez craint
qu' ils aient craint	qu' ils eussent craint

CONDITIONNEL

Présent	Passé 1re forme	Passé 2e forme
je craindrais	j' aurais craint	j' eusse craint
tu craindrais	tu aurais craint	tu eusses craint
il craindrait	il aurait craint	il eût craint
ns craindrions	ns aurions craint	ns eussions craint
vs craindriez	vs auriez craint	vs eussiez craint
ils craindraient	ils auraient craint	ils eussent craint

IMPÉRATIF

Présent			Passé		
crains	craignons	craignez	aie craint	ayons craint	ayez craint

INFINITIF

Présent	Passé
craindre	avoir craint

PARTICIPE

Présent	Passé	Passé composé
craignant	craint, te	ayant craint

55 PEINDRE

3e groupe

INDICATIF

Présent	Passé composé
je peins	j' ai peint
tu peins	tu as peint
il peint	il a peint
ns peignons	ns avons peint
vs peignez	vs avez peint
ils peignent	ils ont peint
Imparfait	**Plus-que-parfait**
je peignais	j' avais peint
tu peignais	tu avais peint
il peignait	il avait peint
ns peignions	ns avions peint
vs peigniez	vs aviez peint
ils peignaient	ils avaient peint
Passé simple	**Passé antérieur**
je peignis	j' eus peint
tu peignis	tu eus peint
il peignit	il eut peint
ns peignîmes	ns eûmes peint
vs peignîtes	vs eûtes peint
ils peignirent	ils eurent peint
Futur simple	**Futur antérieur**
je peindrai	j' aurai peint
tu peindras	tu auras peint
il peindra	il aura peint
ns peindrons	ns aurons peint
vs peindrez	vs aurez peint
ils peindront	ils auront peint

SUBJONCTIF

Présent	Imparfait
que je peigne	que je peignisse
que tu peignes	que tu peignisses
qu' il peigne	qu' il peignît
que ns peignions	que ns peignissions
que vs peigniez	que vs peignissiez
qu' ils peignent	qu' ils peignissent
Passé	**Plus-que-parfait**
que j' aie peint	que j' eusse peint
que tu aies peint	que tu eusses peint
qu' il ait peint	qu' il eût peint
que ns ayons peint	que ns eussions peint
que vs ayez peint	que vs eussiez peint
qu' ils aient peint	qu' ils eussent peint

CONDITIONNEL

Présent	Passé 1re forme	Passé 2e forme
je peindrais	j' aurais peint	j' eusse peint
tu peindrais	tu aurais peint	tu eusses peint
il peindrait	il aurait peint	il eût peint
ns peindrions	ns aurions peint	ns eussions peint
vs peindriez	vs auriez peint	vs eussiez peint
ils peindraient	ils auraient peint	ils eussent peint

IMPÉRATIF

Présent			Passé		
peins	peignons	peignez	aie peint	ayons peint	ayez peint

INFINITIF

Présent	Passé
peindre	avoir peint

PARTICIPE

Présent	Passé	Passé composé
peignant	peint, te	ayant peint

JOINDRE

INDICATIF

Présent
je joins
tu joins
il joint
ns joignons
vs joignez
ils joignent

Imparfait
je joignais
tu joignais
il joignait
ns joignions
vs joigniez
ils joignaient

Passé simple
je joignis
tu joignis
il joignit
ns joignîmes
vs joignîtes
ils joignirent

Futur simple
je joindrai
tu joindras
il joindra
ns joindrons
vs joindrez
ils joindront

Passé composé
j' ai joint
tu as joint
il a joint
ns avons joint
vs avez joint
ils ont joint

Plus-que-parfait
j' avais joint
tu avais joint
il avait joint
ns avions joint
vs aviez joint
ils avaient joint

Passé antérieur
j' eus joint
tu eus joint
il eut joint
ns eûmes joint
vs eûtes joint
ils eurent joint

Futur antérieur
j' aurai joint
tu auras joint
il aura joint
ns aurons joint
vs aurez joint
ils auront joint

SUBJONCTIF

Présent
que je joigne
que tu joignes
qu' il joigne
que ns joignions
que vs joigniez
qu' ils joignent

Imparfait
que je joignisse
que tu joignisses
qu' il joignît
que ns joignissions
que vs joignissiez
qu' ils joignissent

Passé
que j' aie joint
que tu aies joint
qu' il ait joint
que ns ayons joint
que vs ayez joint
qu' ils aient joint

Plus-que-parfait
que j' eusse joint
que tu eusses joint
qu' il eût joint
que ns eussions joint
que vs eussiez joint
qu' ils eussent joint

CONDITIONNEL

Présent
je joindrais
tu joindrais
il joindrait
ns joindrions
vs joindriez
ils joindraient

Passé 1re forme
j' aurais joint
tu aurais joint
il aurait joint
ns aurions joint
vs auriez joint
ils auraient joint

Passé 2e forme
j' eusse joint
tu eusses joint
il eût joint
ns eussions joint
vs eussiez joint
ils eussent joint

IMPÉRATIF

Présent
joins joignons joignez

Passé
aie joint ayons joint ayez joint

INFINITIF

Présent
joindre

Passé
avoir joint

PARTICIPE

Présent
joignant

Passé
joint, te

Passé composé
ayant joint

57 RÉSOUDRE 3e groupe

INDICATIF

Présent	Passé composé
je résous	j' ai résolu
tu résous	tu as résolu
il résout	il a résolu
ns résolvons	ns avons résolu
vs résolvez	vs avez résolu
ils résolvent	ils ont résolu

Imparfait	Plus-que-parfait
je résolvais	j' avais résolu
tu résolvais	tu avais résolu
il résolvait	il avait résolu
ns résolvions	ns avions résolu
vs résolviez	vs aviez résolu
ils résolvaient	ils avaient résolu

Passé simple	Passé antérieur
je résolus	j' eus résolu
tu résolus	tu eus résolu
il résolut	il eut résolu
ns résolûmes	ns eûmes résolu
vs résolûtes	vs eûtes résolu
ils résolurent	ils eurent résolu

Futur simple	Futur antérieur
je résoudrai	j' aurai résolu
tu résoudras	tu auras résolu
il résoudra	il aura résolu
ns résoudrons	ns aurons résolu
vs résoudrez	vs aurez résolu
ils résoudront	ils auront résolu

SUBJONCTIF

Présent	Imparfait
que je résolve	que je résolusse
que tu résolves	que tu résolusses
qu' il résolve	qu' il résolût
que ns résolvions	que ns résolussions
que vs résolviez	que vs résolussiez
qu' ils résolvent	qu' ils résolussent

Passé	Plus-que-parfait
que j' aie résolu	que j' eusse résolu
que tu aies résolu	que tu eusses résolu
qu' il ait résolu	qu' il eût résolu
que ns ayons résolu	que ns eussions résolu
que vs ayez résolu	que vs eussiez résolu
qu' ils aient résolu	qu' ils eussent résolu

CONDITIONNEL

Présent	Passé 1re forme	Passé 2e forme
je résoudrais	j' aurais résolu	j' eusse résolu
tu résoudrais	tu aurais résolu	tu eusses résolu
il résoudrait	il aurait résolu	il eût résolu
ns résoudrions	ns aurions résolu	ns eussions résolu
vs résoudriez	vs auriez résolu	vs eussiez résolu
ils résoudraient	ils auraient résolu	ils eussent résolu

IMPÉRATIF

Présent			Passé		
résous	résolvons	résolvez	aie résolu	ayons résolu	ayez résolu

INFINITIF

Présent	Passé
résoudre	avoir résolu

PARTICIPE

Présent	Passé	Passé composé
résolvant	résolu, e	ayant résolu

COUDRE

INDICATIF

Présent	Passé composé
je couds	j' ai cousu
tu couds	tu as cousu
il coud	il a cousu
ns cousons	ns avons cousu
vs cousez	vs avez cousu
ils cousent	ils ont cousu

Imparfait	Plus-que-parfait
je cousais	j' avais cousu
tu cousais	tu avais cousu
il cousait	il avait cousu
ns cousions	ns avions cousu
vs cousiez	vs aviez cousu
ils cousaient	ils avaient cousu

Passé simple	Passé antérieur
je cousis	j' eus cousu
tu cousis	tu eus cousu
il cousit	il eut cousu
ns cousîmes	ns eûmes cousu
vs cousîtes	vs eûtes cousu
ils cousirent	ils eurent cousu

Futur simple	Futur antérieur
je coudrai	j' aurai cousu
tu coudras	tu auras cousu
il coudra	il aura cousu
ns coudrons	ns aurons cousu
vs coudrez	vs aurez cousu
ils coudront	ils auront cousu

SUBJONCTIF

Présent	Imparfait
que je couse	que je cousisse
que tu couses	que tu cousisses
qu' il couse	qu' il cousît
que ns cousions	que ns cousissions
que vs cousiez	que vs cousissiez
qu' ils cousent	qu' ils cousissent

Passé	Plus-que-parfait
que j' aie cousu	que j' eusse cousu
que tu aies cousu	que tu eusses cousu
qu' il ait cousu	qu' il eût cousu
que ns ayons cousu	que ns eussions cousu
que vs ayez cousu	que vs eussiez cousu
qu' ils aient cousu	qu' ils eussent cousu

CONDITIONNEL

Présent	Passé 1re forme	Passé 2e forme
je coudrais	j' aurais cousu	j' eusse cousu
tu coudrais	tu aurais cousu	tu eusses cousu
il coudrait	il aurait cousu	il eût cousu
ns coudrions	ns aurions cousu	ns eussions cousu
vs coudriez	vs auriez cousu	vs eussiez cousu
ils coudraient	ils auraient cousu	ils eussent cousu

IMPÉRATIF

Présent
couds cousons cousez

Passé
aie cousu ayons cousu ayez cousu

INFINITIF

Présent	Passé
coudre	avoir cousu

PARTICIPE

Présent	Passé	Passé composé
cousant	cousu, e	ayant cousu

MOUDRE

INDICATIF

Présent	Passé composé
je mouds	j' ai moulu
tu mouds	tu as moulu
il moud	il a moulu
ns moulons	ns avons moulu
vs moulez	vs avez moulu
ils moulent	ils ont moulu

Imparfait	Plus-que-parfait
je moulais	j' avais moulu
tu moulais	tu avais moulu
il moulait	il avait moulu
ns moulions	ns avions moulu
vs mouliez	vs aviez moulu
ils moulaient	ils avaient moulu

Passé simple	Passé antérieur
je moulus	j' eus moulu
tu moulus	tu eus moulu
il moulut	il eut moulu
ns moulûmes	ns eûmes moulu
vs moulûtes	vs eûtes moulu
ils moulurent	ils eurent moulu

Futur simple	Futur antérieur
je moudrai	j' aurai moulu
tu moudras	tu auras moulu
il moudra	il aura moulu
ns moudrons	ns aurons moulu
vs moudrez	vs aurez moulu
ils moudront	ils auront moulu

SUBJONCTIF

Présent	Imparfait
que je moule	que je moulusse
que tu moules	que tu moulusses
qu' il moule	qu' il moulût
que ns moulions	que ns moulussions
que vs mouliez	que vs moulussiez
qu' ils moulent	qu' ils moulussent

Passé	Plus-que-parfait
que j' aie moulu	que j' eusse moulu
que tu aies moulu	que tu eusses moulu
qu' il ait moulu	qu' il eût moulu
que ns ayons moulu	que ns eussions moulu
que vs ayez moulu	que vs eussiez moulu
qu' ils aient moulu	qu' ils eussent moulu

CONDITIONNEL

Présent	Passé 1re forme	Passé 2e forme
je moudrais	j' aurais moulu	j' eusse moulu
tu moudrais	tu aurais moulu	tu eusses moulu
il moudrait	il aurait moulu	il eût moulu
ns moudrions	ns aurions moulu	ns eussions moulu
vs moudriez	vs auriez moulu	vs eussiez moulu
ils moudraient	ils auraient moulu	ils eussent moulu

IMPÉRATIF

Présent
mouds moulons moulez

Passé
aie moulu ayons moulu ayez moulu

INFINITIF

Présent	Passé
moudre	avoir moulu

PARTICIPE

Présent	Passé	Passé composé
moulant	moulu, e	ayant moulu

ROMPRE

INDICATIF

Présent	Passé composé
je romps	j' ai rompu
tu romps	tu as rompu
il rompt	il a rompu
ns rompons	ns avons rompu
vs rompez	vs avez rompu
ils rompent	ils ont rompu
Imparfait	**Plus-que-parfait**
je rompais	j' avais rompu
tu rompais	tu avais rompu
il rompait	il avait rompu
ns rompions	ns avions rompu
vs rompiez	vs aviez rompu
ils rompaient	ils avaient rompu
Passé simple	**Passé antérieur**
je rompis	j' eus rompu
tu rompis	tu eus rompu
il rompit	il eut rompu
ns rompîmes	ns eûmes rompu
vs rompîtes	vs eûtes rompu
ils rompirent	ils eurent rompu
Futur simple	**Futur antérieur**
je romprai	j' aurai rompu
tu rompras	tu auras rompu
il rompra	il aura rompu
ns romprons	ns aurons rompu
vs romprez	vs aurez rompu
ils rompront	ils auront rompu

SUBJONCTIF

Présent	Imparfait
que je rompe	que je rompisse
que tu rompes	que tu rompisses
qu' il rompe	qu' il rompît
que ns rompions	que ns rompissions
que vs rompiez	que vs rompissiez
qu' ils rompent	qu' ils rompissent
Passé	**Plus-que-parfait**
que j' aie rompu	que j' eusse rompu
que tu aies rompu	que tu eusses rompu
qu' il ait rompu	qu' il eût rompu
que ns ayons rompu	que ns eussions rompu
que vs ayez rompu	que vs eussiez rompu
qu' ils aient rompu	qu' ils eussent rompu

CONDITIONNEL

Présent	Passé 1re forme	Passé 2e forme
je romprais	j' aurais rompu	j' eusse rompu
tu romprais	tu aurais rompu	tu eusses rompu
il romprait	il aurait rompu	il eût rompu
ns romprions	ns aurions rompu	ns eussions rompu
vs rompriez	vs auriez rompu	vs eussiez rompu
ils rompraient	ils auraient rompu	ils eussent rompu

IMPÉRATIF

Présent			Passé		
romps	rompons	rompez	aie rompu	ayons rompu	ayez rompu

INFINITIF

Présent	Passé
rompre	avoir rompu

PARTICIPE

Présent	Passé	Passé composé
rompant	rompu, e	ayant rompu

VAINCRE

3e groupe

INDICATIF

Présent	Passé composé
je vaincs	j' ai vaincu
tu vaincs	tu as vaincu
il **vainc**	il a vaincu
ns vainquons	ns avons vaincu
vs vainquez	vs avez vaincu
ils vainquent	ils ont vaincu

Imparfait	Plus-que-parfait
je vainquais	j' avais vaincu
tu vainquais	tu avais vaincu
il vainquait	il avait vaincu
ns vainquions	ns avions vaincu
vs vainquiez	vs aviez vaincu
ils vainquaient	ils avaient vaincu

Passé simple	Passé antérieur
je vainquis	j' eus vaincu
tu vainquis	tu eus vaincu
il vainquit	il eut vaincu
ns vainquîmes	ns eûmes vaincu
vs vainquîtes	vs eûtes vaincu
ils vainquirent	ils eurent vaincu

Futur simple	Futur antérieur
je vaincrai	j' aurai vaincu
tu vaincras	tu auras vaincu
il vaincra	il aura vaincu
ns vaincrons	ns aurons vaincu
vs vaincrez	vs aurez vaincu
ils vaincront	ils auront vaincu

SUBJONCTIF

Présent	Imparfait
que je vainque	que je vainquisse
que tu vainques	que tu vainquisses
qu' il vainque	qu' il vainquît
que ns vainquions	que ns vainquissions
que vs vainquiez	que vs vainquissiez
qu' ils vainquent	qu' ils vainquissent

Passé	Plus-que-parfait
que j' aie vaincu	que j' eusse vaincu
que tu aies vaincu	que tu eusses vaincu
qu' il ait vaincu	qu' il eût vaincu
que ns ayons vaincu	que ns eussions vaincu
que vs ayez vaincu	que vs eussiez vaincu
qu' ils aient vaincu	qu' ils eussent vaincu

CONDITIONNEL

Présent	Passé 1re forme	Passé 2e forme
je vaincrais	j' aurais vaincu	j' eusse vaincu
tu vaincrais	tu aurais vaincu	tu eusses vaincu
il vaincrait	il aurait vaincu	il eût vaincu
ns vaincrions	ns aurions vaincu	ns eussions vaincu
vs vaincriez	vs auriez vaincu	vs eussiez vaincu
ils vaincraient	ils auraient vaincu	ils eussent vaincu

IMPÉRATIF

Présent			Passé		
vaincs	vainquons	vainquez	aie vaincu	ayons vaincu	ayez vaincu

INFINITIF

Présent	Passé
vaincre	avoir vaincu

PARTICIPE

Présent	Passé	Passé composé
vainquant	vaincu, e	ayant vaincu

BATTRE

INDICATIF

Présent		Passé composé		
je	bats	j'	ai	battu
tu	bats	tu	as	battu
il	bat	il	a	battu
ns	battons	ns	avons	battu
vs	battez	vs	avez	battu
ils	battent	ils	ont	battu
Imparfait		**Plus-que-parfait**		
je	battais	j'	avais	battu
tu	battais	tu	avais	battu
il	battait	il	avait	battu
ns	battions	ns	avions	battu
vs	battiez	vs	aviez	battu
ils	battaient	ils	avaient	battu
Passé simple		**Passé antérieur**		
je	battis	j'	eus	battu
tu	battis	tu	eus	battu
il	battit	il	eut	battu
ns	battîmes	ns	eûmes	battu
vs	battîtes	vs	eûtes	battu
ils	battirent	ils	eurent	battu
Futur simple		**Futur antérieur**		
je	battrai	j'	aurai	battu
tu	battras	tu	auras	battu
il	battra	il	aura	battu
ns	battrons	ns	aurons	battu
vs	battrez	vs	aurez	battu
ils	battront	ils	auront	battu

SUBJONCTIF

Présent			
que	je	batte	
que	tu	battes	
qu'	il	batte	
que	ns	battions	
que	vs	battiez	
qu'	ils	battent	
Imparfait			
que	je	battisse	
que	tu	battisses	
qu'	il	battît	
que	ns	battissions	
que	vs	battissiez	
qu'	ils	battissent	
Passé			
que	j'	aie	battu
que	tu	aies	battu
qu'	il	ait	battu
que	ns	ayons	battu
que	vs	ayez	battu
qu'	ils	aient	battu
Plus-que-parfait			
que	j'	eusse	battu
que	tu	eusses	battu
qu'	il	eût	battu
que	ns	eussions	battu
que	vs	eussiez	battu
qu'	ils	eussent	battu

CONDITIONNEL

Présent		Passé 1re forme			Passé 2e forme		
je	battrais	j'	aurais	battu	j'	eusse	battu
tu	battrais	tu	aurais	battu	tu	eusses	battu
il	battrait	il	aurait	battu	il	eût	battu
ns	battrions	ns	aurions	battu	ns	eussions	battu
vs	battriez	vs	auriez	battu	vs	eussiez	battu
ils	battraient	ils	auraient	battu	ils	eussent	battu

IMPÉRATIF

Présent			Passé		
bats	battons	battez	aie battu	ayons battu	ayez battu

INFINITIF

Présent	Passé
battre	avoir battu

PARTICIPE

Présent	Passé	Passé composé
battant	battu, e	ayant battu

63 METTRE 3e groupe

INDICATIF		SUBJONCTIF
Présent	**Passé composé**	**Présent**
je mets	j' ai mis	que je mette
tu mets	tu as mis	que tu mettes
il met	il a mis	qu' il mette
ns mettons	ns avons mis	que ns mettions
vs mettez	vs avez mis	que vs mettiez
ils mettent	ils ont mis	qu' ils mettent
Imparfait	**Plus-que-parfait**	**Imparfait**
je mettais	j' avais mis	que je misse
tu mettais	tu avais mis	que tu misses
il mettait	il avait mis	qu' il mît
ns mettions	ns avions mis	que ns missions
vs mettiez	vs aviez mis	que vs missiez
ils mettaient	ils avaient mis	qu' ils missent
Passé simple	**Passé antérieur**	**Passé**
je mis	j' eus mis	que j' aie mis
tu mis	tu eus mis	que tu aies mis
il mit	il eut mis	qu' il ait mis
ns mîmes	ns eûmes mis	que ns ayons mis
vs mîtes	vs eûtes mis	que vs ayez mis
ils mirent	ils eurent mis	qu' ils aient mis
Futur simple	**Futur antérieur**	**Plus-que-parfait**
je mettrai	j' aurai mis	que j' eusse mis
tu mettras	tu auras mis	que tu eusses mis
il mottra	il aura mis	qu' il eût mis
ns mettrons	ns aurons mis	que ns eussions mis
vs mettrez	vs aurez mis	que vs eussiez mis
ils mettront	ils auront mis	qu' ils eussent mis

CONDITIONNEL

Présent	Passé 1re forme	Passé 2e forme
je mettrais	j' aurais mis	j' eusse mis
tu mettrais	tu aurais mis	tu eusses mis
il mettrait	il aurait mis	il eût mis
ns mettrions	ns aurions mis	ns eussions mis
vs mettriez	vs auriez mis	vs eussiez mis
ils mettraient	ils auraient mis	ils eussent mis

IMPÉRATIF

Présent			Passé		
mets	mettons	mettez	aie mis	ayons mis	ayez mis

INFINITIF		PARTICIPE		
Présent	**Passé**	**Présent**	**Passé**	**Passé composé**
mettre	avoir mis	mettant	mis, se	ayant mis

CONNAÎTRE

INDICATIF

Présent	Passé composé
je connais	j' ai connu
tu connais	tu as connu
il connaît	il a connu
ns connaissons	ns avons connu
vs connaissez	vs avez connu
ils connaissent	ils ont connu
Imparfait	**Plus-que-parfait**
je connaissais	j' avais connu
tu connaissais	tu avais connu
il connaissait	il avait connu
ns connaissions	ns avions connu
vs connaissiez	vs aviez connu
ils connaissaient	ils avaient connu
Passé simple	**Passé antérieur**
je connus	j' eus connu
tu connus	tu eus connu
il connut	il eut connu
ns connûmes	ns eûmes connu
vs connûtes	vs eûtes connu
ils connurent	ils eurent connu
Futur simple	**Futur antérieur**
je connaîtrai	j' aurai connu
tu connaîtras	tu auras connu
il connaîtra	il aura connu
ns connaîtrons	ns aurons connu
vs connaîtrez	vs aurez connu
ils connaîtront	ils auront connu

SUBJONCTIF

Présent	Imparfait
que je connaisse	que je connusse
que tu connaisses	que tu connusses
qu' il connaisse	qu' il connût
que ns connaissions	que ns connussions
que vs connaissiez	que vs connussiez
qu' ils connaissent	qu' ils connussent
Passé	**Plus-que-parfait**
que j' aie connu	que j' eusse connu
que tu aies connu	que tu eusses connu
qu' il ait connu	qu' il eût connu
que ns ayons connu	que ns eussions connu
que vs ayez connu	que vs eussiez connu
qu' ils aient connu	qu' ils eussent connu

CONDITIONNEL

Présent	Passé 1re forme	Passé 2e forme
je connaîtrais	j' aurais connu	j' eusse connu
tu connaîtrais	tu aurais connu	tu eusses connu
il connaîtrait	il aurait connu	il eût connu
ns connaîtrions	ns aurions connu	ns eussions connu
vs connaîtriez	vs auriez connu	vs eussiez connu
ils connaîtraient	ils auraient connu	ils eussent connu

IMPÉRATIF

Présent			Passé		
connais	connaissons	connaissez	aie connu	ayons connu	ayez connu

INFINITIF

Présent	Passé
connaître	avoir connu

PARTICIPE

Présent	Passé	Passé composé
connaissant	connu, e	ayant connu

NAÎTRE

3e groupe

INDICATIF

Présent		Passé composé		
je	nais	je	suis	né
tu	nais	tu	es	né
il	naît	il	est	né
ns	naissons	ns	sommes	nés
vs	naissez	vs	êtes	nés
ils	naissent	ils	sont	nés

Imparfait		Plus-que-parfait		
je	naissais	j'	étais	né
tu	naissais	tu	étais	né
il	naissait	il	était	né
ns	naissions	ns	étions	nés
vs	naissiez	vs	étiez	nés
ils	naissaient	ils	étaient	nés

Passé simple		Passé antérieur		
je	naquis	je	fus	né
tu	naquis	tu	fus	né
il	naquit	il	fut	né
ns	naquîmes	ns	fûmes	nés
vs	naquîtes	vs	fûtes	nés
ils	naquirent	ils	furent	nés

Futur simple		Futur antérieur		
je	naîtrai	je	serai	né
tu	naîtras	tu	seras	né
il	naîtra	il	sera	né
ns	naîtrons	ns	serons	nés
vs	naîtrez	vs	serez	nés
ils	naîtront	ils	seront	nés

SUBJONCTIF

Présent		
que	je	naisse
que	tu	naisses
qu'	il	naisse
que	ns	naissions
que	vs	naissiez
qu'	ils	naissent

Imparfait		
que	je	naquisse
que	tu	naquisses
qu'	il	naquît
que	ns	naquissions
que	vs	naquissiez
qu'	ils	naquissent

Passé			
que	je	sois	né
que	tu	sois	né
qu'	il	soit	né
que	ns	soyons	nés
que	vs	soyez	nés
qu'	ils	soient	nés

Plus-que-parfait			
que	je	fusse	né
que	tu	fusses	né
qu'	il	fût	né
que	ns	fussions	nés
que	vs	fussiez	nés
qu'	ils	fussent	nés

CONDITIONNEL

Présent		Passé 1re forme			Passé 2e forme		
je	naîtrais	je	serais	né	je	fusse	né
tu	naîtrais	tu	serais	né	tu	fusses	né
il	naîtrait	il	serait	né	il	fût	né
ns	naîtrions	ns	serions	nés	ns	fussions	nés
vs	naîtriez	vs	seriez	nés	vs	fussiez	nés
ils	naîtraient	ils	seraient	nés	ils	fussent	nés

IMPÉRATIF

Présent			Passé		
nais	naissons	naissez	sois né	soyons nés	soyez nés

INFINITIF

Présent	Passé
naître	être né

PARTICIPE

Présent	Passé	Passé composé
naissant	né, e	étant né

CROÎTRE

INDICATIF

Présent	Passé composé
je croîs	j' ai crû
tu croîs	tu as crû
il croît	il a crû
ns croissons	ns avons crû
vs croissez	vs avez crû
ils croissent	ils ont crû
Imparfait	**Plus-que-parfait**
je croissais	j' avais crû
tu croissais	tu avais crû
il croissait	il avait crû
ns croissions	ns avions crû
vs croissiez	vs aviez crû
ils croissaient	ils avaient crû
Passé simple	**Passé antérieur**
je crûs	j' eus crû
tu crûs	tu eus crû
il crût	il eut crû
ns crûmes	ns eûmes crû
vs crûtes	vs eûtes crû
ils crûrent	ils eurent crû
Futur simple	**Futur antérieur**
je croîtrai	j' aurai crû
tu croîtras	tu auras crû
il croîtra	il aura crû
ns croîtrons	ns aurons crû
vs croîtrez	vs aurez crû
ils croîtront	ils auront crû

SUBJONCTIF

Présent	Imparfait
que je croisse	que je crûsse
que tu croisses	que tu crûsses
qu' il croisse	qu' il crût
que ns croissions	que ns crûssions
que vs croissiez	que vs crûssiez
qu' ils croissent	qu' ils crûssent
Passé	**Plus-que-parfait**
que j' aie crû	que j' eusse crû
que tu aies crû	que tu eusses crû
qu' il ait crû	qu' il eût crû
que ns ayons crû	que ns eussions crû
que vs ayez crû	que vs eussiez crû
qu' ils aient crû	qu' ils eussent crû

CONDITIONNEL

Présent	Passé 1re forme	Passé 2e forme
je croîtrais	j' aurais crû	j' eusse crû
tu croîtrais	tu aurais crû	tu eusses crû
il croîtrait	il aurait crû	il eût crû
ns croîtrions	ns aurions crû	ns eussions crû
vs croîtriez	vs auriez crû	vs eussiez crû
ils croîtraient	ils auraient crû	ils eussent crû

IMPÉRATIF

Présent
croîs croissons croissez

Passé
aie crû ayons crû ayez crû

INFINITIF

Présent	Passé
croître	avoir crû

PARTICIPE

Présent	Passé	Passé composé
croissant	crû, crue	ayant crû

CROIRE

INDICATIF

Présent	Passé composé
je crois	j' ai cru
tu crois	tu as cru
il croit	il a cru
ns croyons	ns avons cru
vs croyez	vs avez cru
ils croient	ils ont cru

Imparfait	Plus-que-parfait
je croyais	j' avais cru
tu croyais	tu avais cru
il croyait	il avait cru
ns croyions	ns avions cru
vs croyiez	vs aviez cru
ils croyaient	ils avaient cru

Passé simple	Passé antérieur
je crus	j' eus cru
tu crus	tu eus cru
il crut	il eut cru
ns crûmes	ns eûmes cru
vs crûtes	vs eûtes cru
ils crurent	ils eurent cru

Futur simple	Futur antérieur
je croirai	j' aurai cru
tu croiras	tu auras cru
il croira	il aura cru
ns croirons	ns aurons cru
vs croirez	vs aurez cru
ils croiront	ils auront cru

SUBJONCTIF

Présent	Imparfait
que je croie	que je crusse
que tu croies	que tu crusses
qu' il croie	qu' il crût
que ns croyions	que ns crussions
que vs croyiez	que vs crussiez
qu' ils croient	qu' ils crussent

Passé	Plus-que-parfait
que j' aie cru	que j' eusse cru
que tu aies cru	que tu eusses cru
qu' il ait cru	qu' il eût cru
que ns ayons cru	que ns eussions cru
que vs ayez cru	que vs eussiez cru
qu' ils aient cru	qu' ils eussent cru

CONDITIONNEL

Présent	Passé 1re forme	Passé 2e forme
je croirais	j' aurais cru	j' eusse cru
tu croirais	tu aurais cru	tu eusses cru
il croirait	il aurait cru	il eût cru
ns croirions	ns aurions cru	ns eussions cru
vs croiriez	vs auriez cru	vs eussiez cru
ils croiraient	ils auraient cru	ils eussent cru

IMPÉRATIF

Présent			Passé		
crois	croyons	croyez	aie cru	ayons cru	ayez cru

INFINITIF

Présent	Passé
croire	avoir cru

PARTICIPE

Présent	Passé	Passé composé
croyant	cru, e	ayant cru

PLAIRE

INDICATIF

Présent	Passé composé
je plais	j' ai plu
tu plais	tu as plu
il plaît	il a plu
ns plaisons	ns avons plu
vs plaisez	vs avez plu
ils plaisent	ils ont plu

Imparfait	Plus-que-parfait
je plaisais	j' avais plu
tu plaisais	tu avais plu
il plaisait	il avait plu
ns plaisions	ns avions plu
vs plaisiez	vs aviez plu
ils plaisaient	ils avaient plu

Passé simple	Passé antérieur
je plus	j' eus plu
tu plus	tu eus plu
il plut	il eut plu
ns plûmes	ns eûmes plu
vs plûtes	vs eûtes plu
ils plurent	ils eurent plu

Futur simple	Futur antérieur
je plairai	j' aurai plu
tu plairas	tu auras plu
il plaira	il aura plu
ns plairons	ns aurons plu
vs plairez	vs aurez plu
ils plairont	ils auront plu

SUBJONCTIF

Présent	Imparfait
que je plaise	que je plusse
que tu plaises	que tu plusses
qu' il plaise	qu' il plût
que ns plaisions	que ns plussions
que vs plaisiez	que vs plussiez
qu' ils plaisent	qu' ils plussent

Passé	Plus-que-parfait
que j' aie plu	que j' eusse plu
que tu aies plu	que tu eusses plu
qu' il ait plu	qu' il eût plu
que ns ayons plu	que ns eussions plu
que vs ayez plu	que vs eussiez plu
qu' ils aient plu	qu' ils eussent plu

CONDITIONNEL

Présent	Passé 1re forme	Passé 2e forme
je plairais	j' aurais plu	j' eusse plu
tu plairais	tu aurais plu	tu eusses plu
il plairait	il aurait plu	il eût plu
ns plairions	ns aurions plu	ns eussions plu
vs plairiez	vs auriez plu	vs eussiez plu
ils plairaient	ils auraient plu	ils eussent plu

IMPÉRATIF

Présent

plais plaisons plaisez

Passé

aie plu ayons plu ayez plu

INFINITIF

Présent	Passé
plaire	avoir plu

PARTICIPE

Présent	Passé	Passé composé
plaisant	plu	ayant plu

TRAIRE

INDICATIF

Présent	Passé composé
je trais	j' ai trait
tu trais	tu as trait
il trait	il a trait
ns trayons	ns avons trait
vs trayez	vs avez trait
ils traient	ils ont trait

Imparfait	Plus-que-parfait
je trayais	j' avais trait
tu trayais	tu avais trait
il trayait	il avait trait
ns trayions	ns avions trait
vs trayiez	vs aviez trait
ils trayaient	ils avaient trait

Passé simple	Passé antérieur
inusité	j' eus trait
	tu eus trait
	il eut trait
	ns eûmes trait
	vs eûtes trait
	ils eurent trait

Futur simple	Futur antérieur
je trairai	j' aurai trait
tu trairas	tu auras trait
il traira	il aura trait
ns trairons	ns aurons trait
vs trairez	vs aurez trait
ils trairont	ils auront trait

SUBJONCTIF

Présent	Imparfait
que je traie	*inusité*
que tu traies	
qu' il traie	
que ns trayions	
que vs trayiez	
qu' ils traient	

Passé	Plus-que-parfait
que j' aie trait	que j' eusse trait
que tu aies trait	que tu eusses trait
qu' il ait trait	qu' il eût trait
que ns ayons trait	que ns eussions trait
que vs ayez trait	que vs eussiez trait
qu' ils aient trait	qu' ils eussent trait

CONDITIONNEL

Présent	Passé 1re forme	Passé 2e forme
je trairais	j' aurais trait	j' eusse trait
tu trairais	tu aurais trait	tu eusses trait
il trairait	il aurait trait	il eût trait
ns trairions	ns aurions trait	ns eussions trait
vs trairiez	vs auriez trait	vs eussiez trait
ils trairaient	ils auraient trait	ils eussent trait

IMPÉRATIF

Présent			Passé		
trais	trayons	trayez	aie trait	ayons trait	ayez trait

INFINITIF

Présent	Passé
traire	avoir trait

PARTICIPE

Présent	Passé	Passé composé
trayant	trait, te	ayant trait

SUIVRE

INDICATIF

Présent	Passé composé
je suis	j' ai suivi
tu suis	tu as suivi
il suit	il a suivi
ns suivons	ns avons suivi
vs suivez	vs avez suivi
ils suivent	ils ont suivi
Imparfait	**Plus-que-parfait**
je suivais	j' avais suivi
tu suivais	tu avais suivi
il suivait	il avait suivi
ns suivions	ns avions suivi
vs suiviez	vs aviez suivi
ils suivaient	ils avaient suivi
Passé simple	**Passé antérieur**
je suivis	j' eus suivi
tu suivis	tu eus suivi
il suivit	il eut suivi
ns suivîmes	ns eûmes suivi
vs suivîtes	vs eûtes suivi
ils suivirent	ils eurent suivi
Futur simple	**Futur antérieur**
je suivrai	j' aurai suivi
tu suivras	tu auras suivi
il suivra	il aura suivi
ns suivrons	ns aurons suivi
vs suivrez	vs aurez suivi
ils suivront	ils auront suivi

SUBJONCTIF

Présent	Imparfait
que je suive	que je suivisse
que tu suives	que tu suivisses
qu' il suive	qu' il suivît
que ns suivions	que ns suivissions
que vs suiviez	que vs suivissiez
qu' ils suivent	qu' ils suivissent
Passé	**Plus-que-parfait**
que j' aie suivi	que j' eusse suivi
que tu aies suivi	que tu eusses suivi
qu' il ait suivi	qu' il eût suivi
que ns ayons suivi	que ns eussions suivi
que vs ayez suivi	que vs eussiez suivi
qu' ils aient suivi	qu' ils eussent suivi

CONDITIONNEL

Présent	Passé 1re forme	Passé 2e forme
je suivrais	j' aurais suivi	j' eusse suivi
tu suivrais	tu aurais suivi	tu eusses suivi
il suivrait	il aurait suivi	il eût suivi
ns suivrions	ns aurions suivi	ns eussions suivi
vs suivriez	vs auriez suivi	vs eussiez suivi
ils suivraient	ils auraient suivi	ils eussent suivi

IMPÉRATIF

Présent			Passé		
suis	suivons	suivez	aie suivi	ayons suivi	ayez suivi

INFINITIF

Présent	Passé
suivre	avoir suivi

PARTICIPE

Présent	Passé	Passé composé
suivant	suivi, e	ayant suivi

71 VIVRE 3e groupe

INDICATIF

Présent		Passé composé		
je	vis	j'	ai	vécu
tu	vis	tu	as	vécu
il	vit	il	a	vécu
ns	vivons	ns	avons	vécu
vs	vivez	vs	avez	vécu
ils	vivent	ils	ont	vécu

Imparfait		Plus-que-parfait		
je	vivais	j'	avais	vécu
tu	vivais	tu	avais	vécu
il	vivait	il	avait	vécu
ns	vivions	ns	avions	vécu
vs	viviez	vs	aviez	vécu
ils	vivaient	ils	avaient	vécu

Passé simple		Passé antérieur		
je	vécus	j'	eus	vécu
tu	vécus	tu	eus	vécu
il	vécut	il	eut	vécu
ns	vécûmes	ns	eûmes	vécu
vs	vécûtes	vs	eûtes	vécu
ils	vécurent	ils	eurent	vécu

Futur simple		Futur antérieur		
je	vivrai	j'	aurai	vécu
tu	vivras	tu	auras	vécu
il	vivra	il	aura	vécu
ns	vivrons	ns	aurons	vécu
vs	vivrez	vs	aurez	vécu
ils	vivront	ils	auront	vécu

SUBJONCTIF

Présent		
que	je	vive
que	tu	vives
qu'	il	vive
que	ns	vivions
que	vs	viviez
qu'	ils	vivent

Imparfait		
que	je	vécusse
que	tu	vécusses
qu'	il	vécût
que	ns	vécussions
que	vs	vécussiez
qu'	ils	vécussent

Passé			
que	j'	aie	vécu
que	tu	aies	vécu
qu'	il	ait	vécu
que	ns	ayons	vécu
que	vs	ayez	vécu
qu'	ils	aient	vécu

Plus-que-parfait			
que	j'	eusse	vécu
que	tu	eusses	vécu
qu'	il	eût	vécu
que	ns	eussions	vécu
que	vs	eussiez	vécu
qu'	ils	eussent	vécu

CONDITIONNEL

Présent		Passé 1re forme			Passé 2e forme		
je	vivrais	j'	aurais	vécu	j'	eusse	vécu
tu	vivrais	tu	aurais	vécu	tu	eusses	vécu
il	vivrait	il	aurait	vécu	il	eût	vécu
ns	vivrions	ns	aurions	vécu	ns	eussions	vécu
vs	vivriez	vs	auriez	vécu	vs	eussiez	vécu
ils	vivraient	ils	auraient	vécu	ils	eussent	vécu

IMPÉRATIF

Présent			Passé		
vis	vivons	vivez	aie vécu	ayons vécu	ayez vécu

INFINITIF

Présent	Passé
vivre	avoir vécu

PARTICIPE

Présent	Passé	Passé composé
vivant	vécu, e	ayant vécu

SUFFIRE

INDICATIF

Présent	Passé composé
je suffis	j' ai suffi
tu suffis	tu as suffi
il suffit	il a suffi
ns suffisons	ns avons suffi
vs suffisez	vs avez suffi
ils suffisent	ils ont suffi
Imparfait	**Plus-que-parfait**
je suffisais	j' avais suffi
tu suffisais	tu avais suffi
il suffisait	il avait suffi
ns suffisions	ns avions suffi
vs suffisiez	vs aviez suffi
ils suffisaient	ils avaient suffi
Passé simple	**Passé antérieur**
je suffis	j' eus suffi
tu suffis	tu eus suffi
il suffit	il eut suffi
ns suffîmes	ns eûmes suffi
vs suffîtes	vs eûtes suffi
ils suffirent	ils eurent suffi
Futur simple	**Futur antérieur**
je suffirai	j' aurai suffi
tu suffiras	tu auras suffi
il suffira	il aura suffi
ns suffirons	ns aurons suffi
vs suffirez	vs aurez suffi
ils suffiront	ils auront suffi

SUBJONCTIF

Présent	Imparfait
que je suffise	que je suffisse
que tu suffises	que tu suffisses
qu' il suffise	qu' il suffît
que ns suffisions	que ns suffissions
que vs suffisiez	que vs suffissiez
qu' ils suffisent	qu' ils suffissent
Passé	**Plus-que-parfait**
que j' aie suffi	que j' eusse suffi
que tu aies suffi	que tu eusses suffi
qu' il ait suffi	qu' il eût suffi
que ns ayons suffi	que ns eussions suffi
que vs ayez suffi	que vs eussiez suffi
qu' ils aient suffi	qu' ils eussent suffi

CONDITIONNEL

Présent	Passé 1re forme	Passé 2e forme
je suffirais	j' aurais suffi	j' eusse suffi
tu suffirais	tu aurais suffi	tu eusses suffi
il suffirait	il aurait suffi	il eût suffi
ns suffirions	ns aurions suffi	ns eussions suffi
vs suffiriez	vs auriez suffi	vs eussiez suffi
ils suffiraient	ils auraient suffi	ils eussent suffi

IMPÉRATIF

Présent			Passé		
suffis	suffisons	suffisez	aie suffi	ayons suffi	ayez suffi

INFINITIF

Présent	Passé
suffire	avoir suffi

PARTICIPE

Présent	Passé	Passé composé
suffisant	suffi	ayant suffi

DIRE

INDICATIF

Présent

je	dis
tu	dis
il	dit
ns	disons
vs	**dites**
ils	disent

Passé composé

j'	ai	dit
tu	as	dit
il	a	dit
ns	avons	dit
vs	avez	dit
ils	ont	dit

Imparfait

je	disais
tu	disais
il	disait
ns	disions
vs	disiez
ils	disaient

Plus-que-parfait

j'	avais	dit
tu	avais	dit
il	avait	dit
ns	avions	dit
vs	aviez	dit
ils	avaient	dit

Passé simple

je	dis
tu	dis
il	dit
ns	dîmes
vs	dîtes
ils	dirent

Passé antérieur

j'	eus	dit
tu	eus	dit
il	eut	dit
ns	eûmes	dit
vs	eûtes	dit
ils	eurent	dit

Futur simple

je	dirai
tu	diras
il	dira
ns	dirons
vs	direz
ils	diront

Futur antérieur

j'	aurai	dit
tu	auras	dit
il	aura	dit
ns	aurons	dit
vs	aurez	dit
ils	auront	dit

SUBJONCTIF

Présent

que	je	dise
que	tu	dises
qu'	il	dise
que	ns	disions
que	vs	disiez
qu'	ils	disent

Imparfait

que	je	disse
que	tu	disses
qu'	il	dît
que	ns	dissions
que	vs	dissiez
qu'	ils	dissent

Passé

que	j'	aie	dit
que	tu	aies	dit
qu'	il	ait	dit
que	ns	ayons	dit
que	vs	ayez	dit
qu'	ils	aient	dit

Plus-que-parfait

que	j'	eusse	dit
que	tu	eusses	dit
qu'	il	eût	dit
que	ns	eussions	dit
que	vs	eussiez	dit
qu'	ils	eussent	dit

CONDITIONNEL

Présent

je	dirais
tu	dirais
il	dirait
ns	dirions
vs	diriez
ils	diraient

Passé 1re forme

j'	aurais	dit
tu	aurais	dit
il	aurait	dit
ns	aurions	dit
vs	auriez	dit
ils	auraient	dit

Passé 2e forme

j'	eusse	dit
tu	eusses	dit
il	eût	dit
ns	eussions	dit
vs	eussiez	dit
ils	eussent	dit

IMPÉRATIF

Présent

dis disons **dites**

Passé

aie dit ayons dit ayez dit

INFINITIF

Présent	Passé
dire	avoir dit

PARTICIPE

Présent	Passé	Passé composé
disant	dit, te	ayant dit

MAUDIRE

INDICATIF

Présent	Passé composé
je maudis	j' ai maudit
tu maudis	tu as maudit
il maudit	il a maudit
ns maudissons	ns avons maudit
vs maudissez	vs avez maudit
ils maudissent	ils ont maudit

Imparfait	Plus-que-parfait
je maudissais	j' avais maudit
tu maudissais	tu avais maudit
il maudissait	il avait maudit
ns maudissions	ns avions maudit
vs maudissiez	vs aviez maudit
ils maudissaient	ils avaient maudit

Passé simple	Passé antérieur
je maudis	j' eus maudit
tu maudis	tu eus maudit
il maudit	il eut maudit
ns maudîmes	ns eûmes maudit
vs maudîtes	vs eûtes maudit
ils maudirent	ils eurent maudit

Futur simple	Futur antérieur
je maudirai	j' aurai maudit
tu maudiras	tu auras maudit
il maudira	il aura maudit
ns maudirons	ns aurons maudit
vs maudirez	vs aurez maudit
ils maudiront	ils auront maudit

SUBJONCTIF

Présent	Imparfait
que je maudisse	que je maudisse
que tu maudisses	que tu maudisses
qu' il maudisse	qu' il maudît
que ns maudissions	que ns maudissions
que vs maudissiez	que vs maudissiez
qu' ils maudissent	qu' ils maudissent

Passé	Plus-que-parfait
que j' aie maudit	que j' eusse maudit
que tu aies maudit	que tu eusses maudit
qu' il ait maudit	qu' il eût maudit
que ns ayons maudit	que ns eussions maudit
que vs ayez maudit	que vs eussiez maudit
qu' ils aient maudit	qu' ils eussent maudit

CONDITIONNEL

Présent	Passé 1re forme	Passé 2e forme
je maudirais	j' aurais maudit	j' eusse maudit
tu maudirais	tu aurais maudit	tu eusses maudit
il maudirait	il aurait maudit	il eût maudit
ns maudirions	ns aurions maudit	ns eussions maudit
vs maudiriez	vs auriez maudit	vs eussiez maudit
ils maudiraient	ils auraient maudit	ils eussent maudit

IMPÉRATIF

Présent			Passé		
maudis	maudissons	maudissez	aie maudit	ayons maudit	ayez maudit

INFINITIF

Présent	Passé
maudire	avoir maudit

PARTICIPE

Présent	Passé	Passé composé
maudissant	maudit, te	ayant maudit

LIRE

INDICATIF

Présent	Passé composé
je lis	j' ai lu
tu lis	tu as lu
il lit	il a lu
ns lisons	ns avons lu
vs lisez	vs avez lu
ils lisent	ils ont lu
Imparfait	**Plus-que-parfait**
je lisais	j' avais lu
tu lisais	tu avais lu
il lisait	il avait lu
ns lisions	ns avions lu
vs lisiez	vs aviez lu
ils lisaient	ils avaient lu
Passé simple	**Passé antérieur**
je lus	j' eus lu
tu lus	tu eus lu
il lut	il eut lu
ns lûmes	ns eûmes lu
vs lûtes	vs eûtes lu
ils lurent	ils eurent lu
Futur simple	**Futur antérieur**
je lirai	j' aurai lu
tu liras	tu auras lu
il lira	il aura lu
ns lirons	ns aurons lu
vs lirez	vs aurez lu
ils liront	ils auront lu

SUBJONCTIF

Présent	Imparfait
que je lise	que je lusse
que tu lises	que tu lusses
qu' il lise	qu' il lût
que ns lisions	que ns lussions
que vs lisiez	que vs lussiez
qu' ils lisent	qu' ils lussent
Passé	**Plus-que-parfait**
que j' aie lu	que j' eusse lu
que tu aies lu	que tu eusses lu
qu' il ait lu	qu' il eût lu
que ns ayons lu	que ns eussions lu
que vs ayez lu	que vs eussiez lu
qu' ils aient lu	qu' ils eussent lu

CONDITIONNEL

Présent	Passé 1re forme	Passé 2e forme
je lirais	j' aurais lu	j' eusse lu
tu lirais	tu aurais lu	tu eusses lu
il lirait	il aurait lu	il eût lu
ns lirions	ns aurions lu	ns eussions lu
vs liriez	vs auriez lu	vs eussiez lu
ils liraient	ils auraient lu	ils eussent lu

IMPÉRATIF

Présent			Passé		
lis	lisons	lisez	aie lu	ayons lu	ayez lu

INFINITIF

Présent	Passé
lire	avoir lu

PARTICIPE

Présent	Passé	Passé composé
lisant	lu, e	ayant lu

ÉCRIRE

INDICATIF

Présent		Passé composé		
j'	écris	j'	ai	écrit
tu	écris	tu	as	écrit
il	écrit	il	a	écrit
ns	écrivons	ns	avons	écrit
vs	écrivez	vs	avez	écrit
ils	écrivent	ils	ont	écrit
Imparfait		**Plus-que-parfait**		
j'	écrivais	j'	avais	écrit
tu	écrivais	tu	avais	écrit
il	écrivait	il	avait	écrit
ns	écrivions	ns	avions	écrit
vs	écriviez	vs	aviez	écrit
ils	écrivaient	ils	avaient	écrit
Passé simple		**Passé antérieur**		
j'	écrivis	j'	eus	écrit
tu	écrivis	tu	eus	écrit
il	écrivit	il	eut	écrit
ns	écrivîmes	ns	eûmes	écrit
vs	écrivîtes	vs	eûtes	écrit
ils	écrivirent	ils	eurent	écrit
Futur simple		**Futur antérieur**		
j'	écrirai	j'	aurai	écrit
tu	écriras	tu	auras	écrit
il	écrira	il	aura	écrit
ns	écrirons	ns	aurons	écrit
vs	écrirez	vs	aurez	écrit
ils	écriront	ils	auront	écrit

SUBJONCTIF

Présent			
que	j'	écrive	
que	tu	écrives	
qu'	il	écrive	
que	ns	écrivions	
que	vs	écriviez	
qu'	ils	écrivent	
Imparfait			
que	j'	écrivisse	
que	tu	écrivisses	
qu'	il	écrivît	
que	ns	écrivissions	
que	vs	écrivissiez	
qu'	ils	écrivissent	
Passé			
que	j'	aie	écrit
que	tu	aies	écrit
qu'	il	ait	écrit
que	ns	ayons	écrit
que	vs	ayez	écrit
qu'	ils	aient	écrit
Plus-que-parfait			
que	j'	eusse	écrit
que	tu	eusses	écrit
qu'	il	eût	écrit
que	ns	eussions	écrit
que	vs	eussiez	écrit
qu'	ils	eussent	écrit

CONDITIONNEL

Présent		Passé 1re forme			Passé 2e forme		
j'	écrirais	j'	aurais	écrit	j'	eusse	écrit
tu	écrirais	tu	aurais	écrit	tu	eusses	écrit
il	écrirait	il	aurait	écrit	il	eût	écrit
ns	écririons	ns	aurions	écrit	ns	eussions	écrit
vs	écririez	vs	auriez	écrit	vs	eussiez	écrit
ils	écriraient	ils	auraient	écrit	ils	eussent	écrit

IMPÉRATIF

Présent			Passé		
écris	écrivons	écrivez	aie écrit	ayons écrit	ayez écrit

INFINITIF

Présent	Passé
écrire	avoir écrit

PARTICIPE

Présent	Passé	Passé composé
écrivant	écrit, te	ayant écrit

RIRE

INDICATIF

Présent	Passé composé
je ris	j' ai ri
tu ris	tu as ri
il rit	il a ri
ns rions	ns avons ri
vs riez	vs avez ri
ils rient	ils ont ri

Imparfait	Plus-que-parfait
je riais	j' avais ri
tu riais	tu avais ri
il riait	il avait ri
ns riions	ns avions ri
vs riiez	vs aviez ri
ils riaient	ils avaient ri

Passé simple	Passé antérieur
je ris	j' eus ri
tu ris	tu eus ri
il rit	il eut ri
ns rîmes	ns eûmes ri
vs rîtes	vs eûtes ri
ils rirent	ils eurent ri

Futur simple	Futur antérieur
je rirai	j' aurai ri
tu riras	tu auras ri
il rira	il aura ri
ns rirons	ns aurons ri
vs rirez	vs aurez ri
ils riront	ils auront ri

SUBJONCTIF

Présent	Imparfait
que je rie	que je risse
que tu ries	que tu risses
qu' il rie	qu' il rît
que ns riions	que ns rissions
que vs riiez	que vs rissiez
qu' ils rient	qu' ils rissent

Passé	Plus-que-parfait
que j' aie ri	que j' eusse ri
que tu aies ri	que tu eusses ri
qu' il ait ri	qu' il eût ri
que ns ayons ri	que ns eussions ri
que vs ayez ri	que vs eussiez ri
qu' ils aient ri	qu' ils eussent ri

CONDITIONNEL

Présent	Passé 1re forme	Passé 2e forme
je rirais	j' aurais ri	j' eusse ri
tu rirais	tu aurais ri	tu eusses ri
il rirait	il aurait ri	il eût ri
ns ririons	ns aurions ri	ns eussions ri
vs ririez	vs auriez ri	vs eussiez ri
ils riraient	ils auraient ri	ils eussent ri

IMPÉRATIF

Présent			Passé		
ris	rions	riez	aie ri	ayons ri	ayez ri

INFINITIF

Présent	Passé
rire	avoir ri

PARTICIPE

Présent	Passé	Passé composé
riant	ri	ayant ri

CONDUIRE

INDICATIF

Présent	Passé composé
je conduis	j' ai conduit
tu conduis	tu as conduit
il conduit	il a conduit
ns conduisons	ns avons conduit
vs conduisez	vs avez conduit
ils conduisent	ils ont conduit
Imparfait	**Plus-que-parfait**
je conduisais	j' avais conduit
tu conduisais	tu avais conduit
il conduisait	il avait conduit
ns conduisions	ns avions conduit
vs conduisiez	vs aviez conduit
ils conduisaient	ils avaient conduit
Passé simple	**Passé antérieur**
je conduisis	j' eus conduit
tu conduisis	tu eus conduit
il conduisit	il eut conduit
ns conduisîmes	ns eûmes conduit
vs conduisîtes	vs eûtes conduit
ils conduisirent	ils eurent conduit
Futur simple	**Futur antérieur**
je conduirai	j' aurai conduit
tu conduiras	tu auras conduit
il conduira	il aura conduit
ns conduirons	ns aurons conduit
vs conduirez	vs aurez conduit
ils conduiront	ils auront conduit

SUBJONCTIF

Présent	Imparfait
que je conduise	que je conduisisse
que tu conduises	que tu conduisisses
qu' il conduise	qu' il conduisît
que ns conduisions	que ns conduisissions
que vs conduisiez	que vs conduisissiez
qu' ils conduisent	qu' ils conduisissent
Passé	**Plus-que-parfait**
que j' aie conduit	que j' eusse conduit
que tu aies conduit	que tu eusses conduit
qu' il ait conduit	qu' il eût conduit
que ns ayons conduit	que ns eussions conduit
que vs ayez conduit	que vs eussiez conduit
qu' ils aient conduit	qu' ils eussent conduit

CONDITIONNEL

Présent	Passé 1re forme	Passé 2e forme
je conduirais	j' aurais conduit	j' eusse conduit
tu conduirais	tu aurais conduit	tu eusses conduit
il conduirait	il aurait conduit	il eût conduit
ns conduirions	ns aurions conduit	ns eussions conduit
vs conduiriez	vs auriez conduit	vs eussiez conduit
ils conduiraient	ils auraient conduit	ils eussent conduit

IMPÉRATIF

Présent
conduis conduisons conduisez

Passé
aie conduit ayons conduit ayez conduit

INFINITIF

Présent	Passé
conduire	avoir conduit

PARTICIPE

Présent	Passé	Passé composé
conduisant	conduit, te	ayant conduit

BOIRE

INDICATIF

Présent
je bois
tu bois
il boit
ns buvons
vs buvez
ils boivent

Passé composé
j' ai bu
tu as bu
il a bu
ns avons bu
vs avez bu
ils ont bu

Imparfait
je buvais
tu buvais
il buvait
ns buvions
vs buviez
ils buvaient

Plus-que-parfait
j' avais bu
tu avais bu
il avait bu
ns avions bu
vs aviez bu
ils avaient bu

Passé simple
je bus
tu bus
il but
ns bûmes
vs bûtes
ils burent

Passé antérieur
j' eus bu
tu eus bu
il eut bu
ns eûmes bu
vs eûtes bu
ils eurent bu

Futur simple
je boirai
tu boiras
il boira
ns boirons
vs boirez
ils boiront

Futur antérieur
j' aurai bu
tu auras bu
il aura bu
ns aurons bu
vs aurez bu
ils auront bu

SUBJONCTIF

Présent
que je boive
que tu boives
qu' il boive
que ns buvions
que vs buviez
qu' ils boivent

Imparfait
que je busse
que tu busses
qu' il bût
que ns bussions
que vs bussiez
qu' ils bussent

Passé
que j' aie bu
que tu aies bu
qu' il ait bu
que ns ayons bu
que vs ayez bu
qu' ils aient bu

Plus-que-parfait
que j' eusse bu
que tu eusses bu
qu' il eût bu
que ns eussions bu
que vs eussiez bu
qu' ils eussent bu

CONDITIONNEL

Présent
je boirais
tu boirais
il boirait
ns boirions
vs boiriez
ils boiraient

Passé 1re forme
j' aurais bu
tu aurais bu
il aurait bu
ns aurions bu
vs auriez bu
ils auraient bu

Passé 2e forme
j' eusse bu
tu eusses bu
il eût bu
ns eussions bu
vs eussiez bu
ils eussent bu

IMPÉRATIF

Présent
bois buvons buvez

Passé
aie bu ayons bu ayez bu

INFINITIF

Présent
boire

Passé
avoir bu

PARTICIPE

Présent
buvant

Passé
bu, e

Passé composé
ayant bu

CONCLURE

INDICATIF

Présent	Passé composé
je conclus	j' ai conclu
tu conclus	tu as conclu
il conclut	il a conclu
ns concluons	ns avons conclu
vs concluez	vs avez conclu
ils concluent	ils ont conclu

Imparfait	Plus-que-parfait
je concluais	j' avais conclu
tu concluais	tu avais conclu
il concluait	il avait conclu
ns concluions	ns avions conclu
vs concluiez	vs aviez conclu
ils concluaient	ils avaient conclu

Passé simple	Passé antérieur
je conclus	j' eus conclu
tu conclus	tu eus conclu
il conclut	il eut conclu
ns conclûmes	ns eûmes conclu
vs conclûtes	vs eûtes conclu
ils conclurent	ils eurent conclu

Futur simple	Futur antérieur
je conclurai	j' aurai conclu
tu concluras	tu auras conclu
il conclura	il aura conclu
ns conclurons	ns aurons conclu
vs conclurez	vs aurez conclu
ils concluront	ils auront conclu

SUBJONCTIF

Présent	Imparfait
que je conclue	que je conclusse
que tu conclues	que tu conclusses
qu' il conclue	qu' il conclût
que ns concluions	que ns conclussions
que vs concluiez	que vs conclussiez
qu' ils concluent	qu' ils conclussent

Passé	Plus-que-parfait
que j' aie conclu	que j' eusse conclu
que tu aies conclu	que tu eusses conclu
qu' il ait conclu	qu' il eût conclu
que ns ayons conclu	que ns eussions conclu
que vs ayez conclu	que vs eussiez conclu
qu' ils aient conclu	qu' ils eussent conclu

CONDITIONNEL

Présent	Passé 1re forme	Passé 2e forme
je conclurais	j' aurais conclu	j' eusse conclu
tu conclurais	tu aurais conclu	tu eusses conclu
il conclurait	il aurait conclu	il eût conclu
ns conclurions	ns aurions conclu	ns eussions conclu
vs concluriez	vs auriez conclu	vs eussiez conclu
ils concluraient	ils auraient conclu	ils eussent conclu

IMPÉRATIF

Présent			Passé		
conclus	concluons	concluez	aie conclu	ayons conclu	ayez conclu

INFINITIF

Présent	Passé
conclure	avoir conclu

PARTICIPE

Présent	Passé	Passé composé
concluant	conclu, e	ayant conclu

CLORE

INDICATIF

Présent
je clos
tu clos
il clôt
inusité
inusité
ils closent

Passé composé
j' ai clos
tu as clos
il a clos
ns avons clos
vs avez clos
ils ont clos

Imparfait
inusité

Plus-que-parfait
j' avais clos
tu avais clos
il avait clos
ns avions clos
vs aviez clos
ils avaient clos

Passé simple
inusité

Passé antérieur
j' eus clos
tu eus clos
il eut clos
ns eûmes clos
vs eûtes clos
ils eurent clos

Futur simple
je clorai
tu cloras
il clora
ns clorons
vs clorez
ils cloront

Futur antérieur
j' aurai clos
tu auras clos
il aura clos
ns aurons clos
vs aurez clos
ils auront clos

SUBJONCTIF

Présent
que je close
que tu closes
qu' il close
que ns closions
que vs closiez
qu' ils closent

Imparfait
inusité

Passé
que j' aie clos
que tu aies clos
qu' il ait clos
que ns ayons clos
que vs ayez clos
qu' ils aient clos

Plus-que-parfait
que j' eusse clos
que tu eusses clos
qu' il eût clos
que ns eussions clos
que vs eussiez clos
qu' ils eussent clos

CONDITIONNEL

Présent
je clorais
tu clorais
il clorait
ns clorions
vs cloriez
ils cloraient

Passé 1re forme
j' aurais clos
tu aurais clos
il aurait clos
ns aurions clos
vs auriez clos
ils auraient clos

Passé 2e forme
j' eusse clos
tu eusses clos
il eût clos
ns eussions clos
vs eussiez clos
ils eussent clos

IMPÉRATIF

Présent
clos *inusité*

Passé
aie clos ayons clos ayez clos

INFINITIF

Présent
clore

Passé
avoir clos

PARTICIPE

Présent
closant

Passé
clos, se

Passé composé
ayant clos

FAIRE

INDICATIF

Présent		Passé composé		
je	fais	j'	ai	fait
tu	fais	tu	as	fait
il	fait	il	a	fait
ns	faisons	ns	avons	fait
vs	**faites**	vs	avez	fait
ils	font	ils	ont	fait

Imparfait		Plus-que-parfait		
je	faisais	j'	avais	fait
tu	faisais	tu	avais	fait
il	faisait	il	avait	fait
ns	faisions	ns	avions	fait
vs	faisiez	vs	aviez	fait
ils	faisaient	ils	avaient	fait

Passé simple		Passé antérieur		
je	fis	j'	eus	fait
tu	fis	tu	eus	fait
il	fit	il	eut	fait
ns	fîmes	ns	eûmes	fait
vs	fîtes	vs	eûtes	fait
ils	firent	ils	eurent	fait

Futur simple		Futur antérieur		
je	ferai	j'	aurai	fait
tu	feras	tu	auras	fait
il	fera	il	aura	fait
ns	ferons	ns	aurons	fait
vs	ferez	vs	aurez	fait
ils	feront	ils	auront	fait

SUBJONCTIF

Présent		
que	je	fasse
que	tu	fasses
qu'	il	fasse
que	ns	fassions
que	vs	fassiez
qu'	ils	fassent

Imparfait		
que	je	fisse
que	tu	fisses
qu'	il	fît
que	ns	fissions
que	vs	fissiez
qu'	ils	fissent

Passé			
que	j'	aie	fait
que	tu	aies	fait
qu'	il	ait	fait
que	ns	ayons	fait
que	vs	ayez	fait
qu'	ils	aient	fait

Plus-que-parfait			
que	j'	eusse	fait
que	tu	eusses	fait
qu'	il	eût	fait
que	ns	eussions	fait
que	vs	eussiez	fait
qu'	ils	eussent	fait

CONDITIONNEL

Présent		Passé 1re forme			Passé 2e forme		
je	ferais	j'	aurais	fait	j'	eusse	fait
tu	ferais	tu	aurais	fait	tu	eusses	fait
il	ferait	il	aurait	fait	il	eût	fait
ns	ferions	ns	aurions	fait	ns	eussions	fait
vs	feriez	vs	auriez	fait	vs	eussiez	fait
ils	feraient	ils	auraient	fait	ils	eussent	fait

IMPÉRATIF

Présent			Passé		
fais	faisons	**faites**	aie fait	ayons fait	ayez fait

INFINITIF

Présent	Passé
faire	avoir fait

PARTICIPE

Présent	Passé	Passé composé
faisant	fait, te	ayant fait

83 ALLER 3e groupe

INDICATIF

Présent		Passé composé		
je	vais	je	suis	allé
tu	vas	tu	es	allé
il	va	il	est	allé
ns	allons	ns	sommes	allés
vs	allez	vs	êtes	allés
ils	vont	ils	sont	allés

Imparfait		Plus-que-parfait		
j'	allais	j'	étais	allé
tu	allais	tu	étais	allé
il	allait	il	était	allé
ns	allions	ns	étions	allés
vs	alliez	vs	étiez	allés
ils	allaient	ils	étaient	allés

Passé simple		Passé antérieur		
j'	allai	je	fus	allé
tu	allas	tu	fus	allé
il	alla	il	fut	allé
ns	allâmes	ns	fûmes	allés
vs	allâtes	vs	fûtes	allés
ils	allèrent	ils	furent	allés

Futur simple		Futur antérieur		
j'	irai	je	serai	allé
tu	iras	tu	seras	allé
il	ira	il	sera	allé
ns	irons	ns	serons	allés
vs	irez	vs	serez	allés
ils	iront	ils	seront	allés

SUBJONCTIF

Présent			Imparfait		
que	j'	aille	que	j'	allasse
que	tu	ailles	que	tu	allasses
qu'	il	aille	qu'	il	allât
que	ns	allions	que	ns	allassions
que	vs	alliez	que	vs	allassiez
qu'	ils	aillent	qu'	ils	allassent

Passé				Plus-que-parfait			
que	je	sois	allé	que	je	fusse	allé
que	tu	sois	allé	que	tu	fusses	allé
qu'	il	soit	allé	qu'	il	fût	allé
que	ns	soyons	allés	que	ns	fussions	allés
que	vs	soyez	allés	que	vs	fussiez	allés
qu'	ils	soient	allés	qu'	ils	fussent	allés

CONDITIONNEL

Présent		Passé 1re forme			Passé 2e forme		
j'	irais	je	serais	allé	je	fusse	allé
tu	irais	tu	serais	allé	tu	fusses	allé
il	irait	il	serait	allé	il	fût	allé
ns	irions	ns	serions	allés	ns	fussions	allés
vs	iriez	vs	seriez	allés	vs	fussiez	allés
ils	iraient	ils	seraient	allés	ils	fussent	allés

IMPÉRATIF

Présent

va allons allez

Passé

sois allé soyons allés soyez allés

INFINITIF

Présent	Passé
aller	être allé

PARTICIPE

Présent	Passé	Passé composé
allant	allé, e	étant allé

INDEX DES VERBES

Les nombres indiqués ici en couleur correspondent aux numéros des tableaux de conjugaison types. Les verbes en gras sont les verbes modèles.

A

INDEX DES VERBES

INDEX DES VERBES

INDEX DES VERBES

INDEX DES VERBES

INDEX DES VERBES

INDEX DES VERBES

INDEX DES VERBES

INDEX DES VERBES

INDEX DES VERBES

INDEX DES VERBES

INDEX DES VERBES

INDEX DES VERBES

INDEX DES VERBES

INDEX DES VERBES

INDEX DES VERBES

INDEX DES VERBES

INDEX DES VERBES

INDEX DES VERBES

E

INDEX DES VERBES

INDEX DES VERBES

INDEX DES VERBES

INDEX DES VERBES

INDEX DES VERBES

G

INDEX DES VERBES

INDEX DES VERBES

INDEX DES VERBES

M

INDEX DES VERBES

INDEX DES VERBES

INDEX DES VERBES

N

O

INDEX DES VERBES

INDEX DES VERBES

INDEX DES VERBES

Q

R

INDEX DES VERBES

INDEX DES VERBES

INDEX DES VERBES

INDEX DES VERBES

INDEX DES VERBES

INDEX DES VERBES

INDEX DES VERBES

T

INDEX DES VERBES

INDEX DES VERBES

Achevé d'imprimer par STIGE
Dépôt légal : Octobre 2010 Edition 07
16/9578/2